ほんとうは泣きたかった大山くん

山田貴子

文芸社

まえがき

皆《みな》さま、初めまして。山田貴子《やまだたかこ》と申します。このたびは私の本を手に取ってくださり、ありがとうございます。私は小さい頃《ころ》からすばらしいストーリーやキャラクターたちに出会わせてくれる、マンガやアニメ、小説《しょうせつ》、ゲームといった作品が大好きでした。想像上《そうぞうじょう》のことでも、私の中ではたしかに存在《そんざい》して、愛《あい》や勇気《ゆうき》や夢《ゆめ》、希望《きぼう》を与えてもらったからです。

物語《ものがたり》の中の主人公たちが、辛《つら》いことがあって心がこわれそうになっても、その出来事《できごと》と向き合い、乗《の》り越《こ》えていこうとする姿勢《しせい》にはひどく心を動《うご》かされました。

私もそんなふうにキャラクターを演《えん》じてみたい…と思ったのが、私が表現《ひょうげん》をするきっかけになりました。

作品の中で生きているキャラクターたちがどんな想《おも》いを持っていて、どんなふうに人生を生きていくのか、それを教《おし》えてくれるのが物語だと思います。

この本の中には七つの物語があって、それぞれのキャラクターたちがその中で生きています。起こる出来事をとおして、自分の中にあった感情《かんじょう》、気持《きも》ちに気づき、その本音《ほんね》を拾い、自分自身、さらに相手にたいしてどんなふうに向き合っていくのか…。目の前でストーリーが展開《てんかい》していくので、キャラクターたちの心の変《か》わりようを、私自身も読《よ》み手《て》のようになって書いていました。

退屈《たいくつ》な毎日から抜け出そうと、宇宙人《うちゅうじん》についていった〝ぼく〟。いつも笑っていて、なぜだか他の顔《かお》を見せない〝大山くん〟。貧乏《びんぼう》が大きらいなのに、お金ではないものを貯金《ちょきん》することになった〝みのる〟。勇敢《ゆうかん》になりたくて、パパにウソをついていた〝さとし〟。ゲラゲランの正体をあばこうと駆《か》け回《まわ》るうちに、親子のつながりを垣間見《かいまみ》ることになった〝ようすけくんとカズくん〟。自分の木にだけ花が咲かない理由《りゆう》を見つけにいった〝サキ〟が知った大切なこと。愛《あい》とはいったいどんなものなのかを知りたかった〝吉野《よしの》〟が気づいたこと…。

この物語たちを読むことで、皆さんの中にどんな感情や気持ちが芽生《めば》えるのか、とっても楽《たの》しみな気持ちでいます。

さあ、この本の主人公たちとともに、あなたの中にいるもうひとりのあなたに、会いにいってみませんか？

もくじ

挿絵　山田貴子

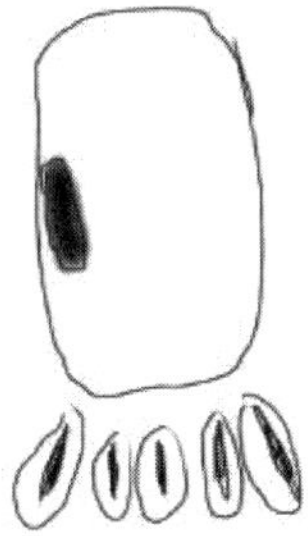

宇《う》宙人《ちゅうじん》のいる日常《にちじょう》

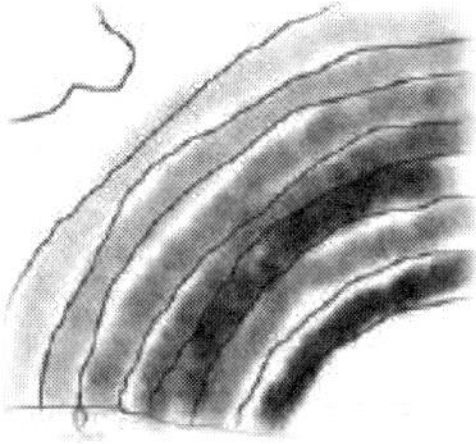

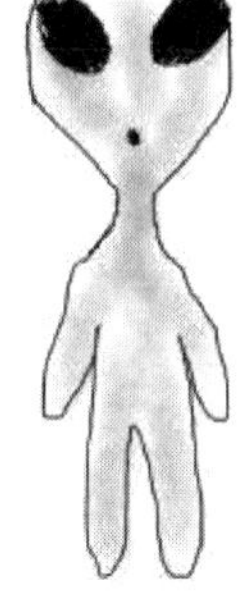

学校の帰《かえ》り道。ぼくは、宇宙人《うちゅうじん》に出会った。

アーモンドみたいにとがった大きな青い目に、全身、銀色《ぎんいろ》のメタルな体をした宇宙人は、子どものぼくの、半分のサイズしかなかった。

テレビでよく見るヤツと、同じだ。

…うわあ、ほんとにこんなヤツなんだ……。

ぼくはとくにおびえることもなく、そんなことを思った。

宇宙人はぼくに近づくと、手をさしのべてきた。「いっしょにおいで。」と言っているのだろうか。

べつにおそってくるけはいもなかったから、そのままうちに帰ることもできたけど、なぜだかぼくは、気がつくとその宇宙人の手をとっていた。

もしかしたらこのまま、帰ってこられないかもしれないのに。

宇宙人といっしょにてくてく歩いていくと、近所の空き地に宇宙船《うちゅうせん》があった。宇宙船、までは予想《よそう》どおりだったんだけど、びっくりしたのはその大きさだ。いや、大きさだけじゃない。見た目そのものからして、どっからどう見てもそれは電話《でんわ》ボックスだった。

小さい。宇宙船て言ったら、映画《えいが》とかによく出てくる、円盤型《えんばんがた》をしたようなものを想像《そうぞう》していたんだけど。宇宙人そのものは期待《きたい》をうらぎらないのに、宇宙船は大いにぼくの予想をくつがえしてくれた。

宇宙人がなんのためらいもなく、電話ボッ……、いや、宇宙船のドアを開《あ》け、中に入る。ぼくもつづいた。

中に入ると、宇宙人はお金を入れてダイヤルを回した。

十円玉だ。なんで持ってるんだ、十円玉。そしてりちぎなヤツだ。

宇宙人は受話器《じゅわき》をとると、聞《き》いたことない言葉《ことば》でしゃべりはじめた……わけじゃなくて、それはもう完全に日本語《にほんご》だった。しかも声が完全におっさんだった。会社づとめにつかれた、五十代のおっさんの声だった。

宇宙人はそのおっさんの声で、「今から行くわ」と言った。ちょっと西のほうの言葉だ。

受話器をおいた宇宙人に、ぼくは聞いた。

「日本語、わかるの？」

だけど宇宙人はぼくのほうをチラッと見たくせに、完全にムシをした。なんだか感《かん》じが悪《わる》い。

そしてウイィィン……という音がして、電話ボッ…宇宙船が空にうかんだ。

ぼくたちは、あっという間に宇宙にやってきた。ここらへんはさすが宇宙船だ。

ぼくは、はじめて見る宇宙に感動《かんどう》をおぼえた。地球《ちきゅう》で見た時は、あんなに小さな光でしかなかった星たちが、本当はこんなにも力強く燃《も》えているんだということがわかった。

近くまで来て、はじめてわかることもあるんだということを知ったしゅんかんだった。

宇宙船はやがて、エメラルド色をしたきれいな星にとうちゃくした。

宇宙人がドアを開けて外におり立った。ぼくもつづいた。

さわやかな風がさっそうとぼくを通りすぎた。一面に広がるのは、エメラルド色のきれいな草原だった。

ところどころに白い小さな花が咲《さ》いていて、見たこともない建物《たてもの》があったり、宇宙人たちのほかにかわった生きものがたくさんいた。

右を見れば、すぐ近くに虹《にじ》の橋《はし》がかかっていて、左を見れば、どこまでつづいていているかわからないおっきなどうくつがあった。

ぼくはワクワクしていた。

きっと、ここにいれば、地球ですごすいつものたいくつな毎日から抜《ぬ》け出《だ》せる。

そんなふうに思った。


それからぼくは、毎日、この名前も知らない星をめいっぱい楽しんだ。

虹の橋をわたって一面に広がる花畑に行った。おっきなどうくつをどこまでも探検《たんけん》した。

いろんな建物では、宇宙人がなんだかよくわからない、いろいろな色のぶよぶよしたゼリーみたいなものを作っていた。

「なにに使《つか》うの？」って聞いたけど、またチ

ラッとぼくのほうを見たくせに、完全にムシをした。やっぱり感じが悪い。

それから、見たことない生きものたちにたくさんさわった。犬なのに鼻《はな》がゾウみたいに長かったり、ネコなのに毛がなくてつるんつるんだったり。

とちゅう、ぼくをここへつれてきた宇宙人にそうぐうした。その宇宙人はぼくのほうをじーっと見て、「かなわんわ〜」とやっぱりおっさん声でつぶやくと、またどこかへ行ってしまった。

なんでしゃべり方が関西《かんさい》のおっさんみたいなのか、いまだにわからない。ほかの宇宙人もああなのかな。こんど聞いてみてもいいかもしれないと思った。

そんなわけで、ぼくは今までにない日常《にちじょう》を手に入れた。見るもの、ふれるものがすべてしんせんで、それはそれは楽しかった。

……だけど、それは一カ月ともたなかった。そんな生活もすぐにあきた。

このエメラルドの星は、地球よりもずっとずっと小さかった。すぐに全部見あきてしまった。

ぼくはさいしょ、ここに来ればたいくつな毎日から抜け出せると思った。

でもそれははじめだけで、やっぱりなれてしまえば、たいくつな日常とかわらなかった。

さいしょはあんなに楽しかったのに。

その時、ぼくは思い出した。

ぼくの行っている地球の学校だって、さいしょは楽しくてしょうがなかったんだ。

だけどだんだん、やっぱり今みたいにつまらなくなって……。

……そうか。ぼくは、つまらないことを、たいくつなことを、全部まわりのせいにしていたんだ。でもそうじゃなくて、毎日を自分からおもしろくすることだってできるはずだ。

よし。ぼくは決めた。

地球に帰ろう。ぼくの星に。そして、こんどは自分で毎日をおもしろくするんだ。方法なんてわからない。できるのかもわからない。けど、とにかくやってみることが大切だ。

そう思ってまわりを見たしゅんかん。その時、やっと気づいた。

……帰り方がわからなかった。ぼくは急いで、ぼくをつれてきた宇宙人をさがした。

…二時間かかったけど、やっと見つけた。ぼくはさけんだ。

「あのー！　ぼく、地球に帰りたいんですけどー！　おーい！　ちょっと待ってー！

おーい！　地球に……え？　あっち？　あっちってどっち……ってちょっと待って！

おーい！　あっ……！　歩くの早いなー……。」

おしまい

ほんとうは泣きたかった大山くん

あきらのクラスには、いつもニコニコ、笑顔《えがお》の男の子がいる。

今年の夏に転校《てんこう》してきた、大山《おおやま》くんだ。

あきらもほかのクラスメイトも、大山くんが転校してきてから、大山くんの怒《おこ》った顔も泣いた顔も見たことがない。

ボールが頭《あたま》にぶつかっても笑っているし、転んですりむいて血が出ても、やっぱり笑っていた。

いつだったかだれかが大山くんに、「なぁ、大山、おまえなんでいつも笑ってんだぁ?」と聞《き》いているのを見たことがあるが、大山くんはその時も、なにも言わずに笑っているだけだった。

それから三カ月がたち、季節《きせつ》は秋になった。

「よーし。えー、今日のホームルームは、十月にある秋の運動会についてだ。だれがどの競技《きょうぎ》に出るか決めるから、みんな出たいものに手をあげること。」

担任《たんにん》の先生がクラスのみんなに言うと、はーい！　と、あきらたちが元気よく返事をした。

先生が次々に競技の名前を黒板に書いていく。

玉入れ、綱引《つなひ》き、リレー、パン食い競走《きょうそう》、二人三脚《ににんさんきゃく》……。

あきらは元気よくリレーに手をあげた。あきらは走るのが得意《とくい》だった。

しかし、リレーは人気があって、リレーに出られる人はじゃんけんで勝った人になった。

気合いを入れ、じゃんけんにのぞむあきら。

「じゃんけんっ、ぽん！」

チョキを出したあきらの顔が、みるみるしょんぼり顔になる。残念《ざんねん》、負けてしまった。

「あー、あきらくんも負けたのかぁ。」

明るい声がしたので目の前を見てみると、あの大山くんが、チョキの手をして笑っていた。

あきらと大山くんは、残った二人三脚になった。

あきらたちは、昼休みに運動会に向けて二人三脚の練習《れんしゅう》をすることにした。

「大山くん。オレ、今まで運動会の競技で負けたことないんだ。どれも一位だった。だから今度《こんど》も、ぜったいぜったい一位をとるから、よろしくな！」

「へー。あきらくんはすごいなぁ。ぼくなんかドジだから、いっつもビリッけつだったんだ。ごめんよ、ぼくなんかといっしょになって。」

大山くんは笑いながら頭をかいた。

「だいじょうぶだよ！　オレといっしょならぜったい一位だからさ！」

あきらがそう言うと、大山くんは、また、へへへと笑った。

二人三脚は、二人一組みで隣《とな》り合《あ》った足首をむすび、四つある足を三つにして競《きそ》う、おたがいのコンビネーションがとても大切な競技だ。

ふたりは毎日毎日、昼休みにいっしょうけんめい二人三脚の練習をした。

スタートのタイミング、息の合わせ方、足の歩幅《ほはば》など、あらゆるところを合わせた。

最初《さいしょ》はぎこちなかった三つの足も、日に日にスイスイ前へ進め

るようになった。

「よし！　これなら優勝《ゆうしょう》まちがいなしだ！」

自信満々《まんまん》にあきらが言う。

「あはは、あきらくんはすごいなぁ。」

大山くんは、やっぱり笑ってそう言った。


いよいよ、運動会本番《ほんばん》の日がやってきた。

雲ひとつない青空に、太陽だけがさんさんと輝《かがや》いている。絶好《ぜっこう》の運動会日よりだ。

開会式《かいかいしき》が行われ、次々に競技が進んでいく。今日はパパもママも来ているから、あきらはいつも以上にやる気満々だ。

あきらたちの出番が、もうすぐそこまでやってきた。

「いいかい大山くん、練習どおりにやるんだよ。そうすれば、ぜったい勝てるんだから。」

「うん、わかったよ。」

そして、ふたりはスタートラインについた。同じ位置《いち》に、たくさんの三つの足がならぶ。

みんなすごい気迫《きはく》だったけど、あきらはだれにも負ける気がしなかった。

「位置《いち》に着いて、よーい、ドン！」

ピストルの音が軽快《けいかい》に鳴《な》りひびいた。

「いっちにっ、いっちにっ。」

決めたかけ声をかけながら、あきらと大山くんは一気に先頭《せんとう》を走っていた。

「わー、すごい！」

同じクラスの子たちから、歓声《かんせい》が聞こえた。

ふふん、と得意になり、あきらはさらに足を速めた。

「うわ、あきらくんすごいなぁ。練習の時より速いよ。」

大山くんが、必死にあきらについていきながら笑った。

「大山くん、もうゴールだ！」

ゴールのテープが見えて、あきらはもっとスピードを上げた。

その時。

「うわっ！」

大山くんがあきらのペースについていけず、リズムをくずしてしまった。

「う、うわあっ！」

つられてあきらも体勢《たいせい》をくずす。

「あきらくん……！」

大山くんが、倒《たお》れそうなあきらの手を取った。

大山くんの手を取ってあきらが立ち上がると、ふたりはまた、いっちにっ、いっちにっとリズムをもどし、ふたたびゴールを目指した。

けど、あきらが足をくじいたらしく、前のようなスピードは出ない。

ゴールの白いテープがふたりの体をかする直前《ちょくぜん》。

「あっ……！」

あきらの声がむなしくひびいた。

追いついてきたチームがふたりを抜《ぬ》いて、白いテープを切ったのだ。

「やったー！　やったー！」

一位になったチームのとてもうれしそうな声が聞こえた。

あきらと大山くんは、二位だった。

ふたりが立ちつくしていると、クラスの友だちが来てくれた。

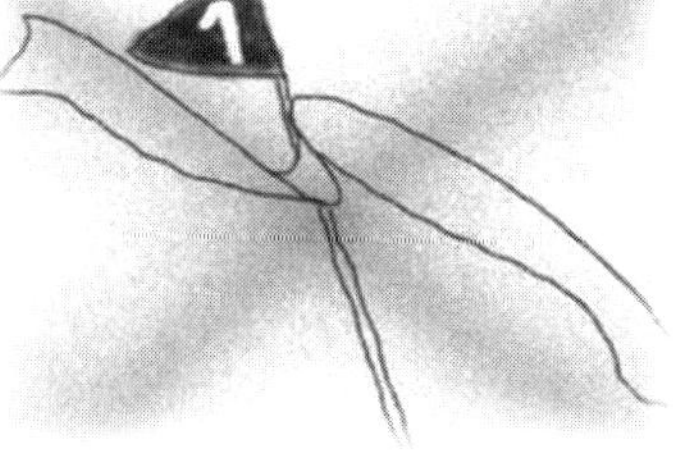

「おしかったね！」

「あ～あ、最初よかったのにな～。」

「それでも二位だよ？」

今まで運動会で負けたことがなかったあきらは、すごくすごくくやしかった。

「…くそ、くそう!!」

涙《なみだ》がこぼれそうになるのをこらえながら、あきらが下を向いた。そこへ大山くんの声がする。

「あはは、ごめんよう、あきらくん。ぼくが転びそうになっちゃったから抜かされちゃったね、ごめんね。」

大山くんはいつものように笑っていた。

笑っている大山くんを見て、あきらに強い怒《いか》りがこみ上げてきた。

「あはは、だけど二位でもすごいよ。ぼくなんかいつもビリッけつだったからさぁ。」

それでも笑う大山くんに、あきらはいよいよガマンの限界《げんかい》がきて、次の瞬間《しゅんかん》。

あきらは大山くんの腕《うで》をつかんで大声でさけんだ。

「なんだよ、おまえ！　いっつも笑ってばっかいやがって！　おまえがペース乱《みだ》したから負けちゃったんじゃないか！」

その声を聞いて、担任の先生があわててやってきた。

「こら、やめないか、あきら！」

先生に引きはなされ、あきらは地《じ》べたにしりもちをついた。痛《いた》みとくやしさにじわじわとおそわれ、あきらは、わんわん大きな声を出して泣いた。

運動会が終わり、みんなが学校をあとにする中、あきらも家に向かって歩いていた。

「…あやまらないぞ。ぜったい、あやまるもんか。」

あのあと先生があきらに、大山くんにあやまりなさいと言ったけど、あきらはぜったいにあやまらなかった。

今までずっと一番しかとったことがないあきらは、自分の中の大切なものがこわされたような気がしてならなかった。

家に着《つ》くと、あきらはふてくされてすぐ自分の部屋《へや》に引っこんだ。

今日のことを思い出すと、また涙が流れてきた。

あきらが部屋でずっとうずくまっていると、ママの声がした。

「あきら、ちょっといらっしゃい。」

ママに何度《なんど》も呼《よ》ばれたけど、あきらは出て行こうとしなかった。するとコンコン、とドアをノックする音が聞こえた。

「あきら、入るわよ。」

あきらがふくれっつらの顔を上げると、そこにはなんと、大山くんがいた。

「お…！　おまえ…！　なんで……！」

あきらの顔がまた、一気に怒《おこ》り顔になる。

「あはは、あきらくん、ごめんよう、ぼく、あやまりに来たんだ。」

「ふざけるな！　帰《かえ》れよ！」

「あきら！　わざわざ来てくれたのに、そんな言い方しないの！」

ママに怒られたけど、あきらはそんなことどうでもよかった。

ここにいる大山くんですら、いつものように笑っていたからだ。

あきらはいよいよそれが不愉快《ふゆかい》でたまらなくなった。あきらはもう、自分の気持ちをおさえることができなかった。

「…おまえ！　なんでいっつも笑ってんだよ！　怒ったこととか泣いたことあんのかよ！　今までひどい目にあったことないんだろ！　だから笑ってられるんだ！　いっつも負けてるんだもんな、負けてもあたりまえだからくやしくなんてないんだろうな！　人の気持ちだってわかんないんだろ！　だからそうやって笑ってるんだ！　いっつも

いっつも笑ってられるんだ！」

「あきら！　やめなさい！」

ママに言われても、あきらはやめなかった。ずっとずっと大山くんに、「なんで笑ってられるんだ」とか、「ひどいヤツだ」とか、そんなことを言っていた。

あきらを止めようとしているママのうしろで、大山くんはなにも言わずに笑っていた。

パパもやってきてあきらを止めようとしたけど、あきらはやっぱりやめなかった。

そうやってずっと、あきらが大山くんに言葉《ことば》をぶつけていたら、突然《とつぜん》、変化《へんか》がおこった。

泣いたのだ。

大山くんが初めて、わんわんと大きな声を出して、涙を流したのだ。

それにおどろいて、あきらはわめくのをやめた。

大山くんの泣き声は、あきらの声の何倍もあった。

今までたまっていたものをあふれ出させるようにして、大山くんは、ずっと泣いていた。

あきらたちはただ、大山くんのことを、だまってずっと見ているしかなかった。

それから大山くんが泣きやんだのは、時間がだいぶたったあとのことだった。

そのあと、初めてあきらは、大山くんがいつも笑っている理由を知った。

「…ぼくね。前の学校で、いじめられてたんだ。だから転校してきたの。ぼくが泣くと、友だちはいじめるし、パパとママはぼくを怒るんだ。泣いたってしょうがない、おまえが弱《よわ》いからいじめられるんだって。だからぼく、すぐ泣きそうになるから、笑っていなきゃ泣きそうになるから。だからずっと笑っていようって思ったんだ。」

あきらはそれを聞いて、すごく悲《かな》しい気持ちになった。

大山くんの笑顔のうらに、そんな理由が隠《かく》

されていたことを知って、自分が言ったことをすごく反省《はんせい》した。

「…ごめん、オレ、たくさんひどいこと言った。走ってる時、勝手《かって》にスピード上げたのオレなのに…。それでも大山くん、すごくがんばってくれたのにさ……。」

あきらがそう言うと、大山くんは笑った。こんどの笑顔は、いつものと少しちがうように思えた。

「ううん、ぼく、うれしかったんだ。こんなどんくさいぼくでも、いっしょに練習してくれて、いっしょに一番を目指してくれて。……だから、ほんとはぼくも泣きたいほどくやしかった。……けど、泣いたらきっと、またみんなにめいわくかけると思ったら、笑っちゃって、よけいに、あきらくんを怒らせちゃって……。ほんとにごめんね。」

あきらは、自分の胸《むね》がじーんと熱《あつ》くなっていくのを感《かん》じた。

「……バカだなー！　なんで泣くのがめいわくなんだよ。泣きたい時は泣いたらいいんだ。泣くのをガマンするほうが、弱虫《よわむし》だ！　オレ、おまえのママに言ってやるよ！」

それを聞いて、大山くんはまた、目に涙をためた。

「……うん……、……うん……！」

それから。

大山くんはいつものように笑っていた。でも、ボールをぶつけられたらちゃんと、痛い！　と言って怒った顔をするし、転んですりむいたところから血が出てケガをしてしまったら、痛くて涙を流した。

クラスのみんなは大山くんの変《か》わりようにびっくりしていたが、みんなもすぐになれて、ありのままの大山くんと遊ぶようになった。

あきらは、一位をとれなかったことはもうどうでもよくなっていた。そんなことより、大山くんがありのままでいてくれることのほうがうれしかった。

泣きたい時には泣いて、腹《はら》が立ったら怒り、笑いたい時は大いに笑う。

そうやってみんな、毎日を過《す》ごすことが大切だ。大山くんが教えてくれた。

子どもは、子どもらしいのがいちばん！

おしまい

ありがとう貯金《ちょきん》

夕日が町を真《ま》っ赤《か》に染《そ》めるころ。学校から家への帰《かえ》り道を、みのるはとぼとぼと歩いていた。

すると、後ろからにぎやかな声が聞《き》こえてくる。

「あ、見ろよ！　みのるだぜ！」

「ほんとだ！　お金なくて絵《え》の具《ぐ》買えなかったみのるだ〜！」

「白黒の絵しか描《か》けない、びんぼうみのる〜！」

後ろから聞こえてくる声にグッとこぶしをにぎりしめると、みのるは走って家まで帰った。

家に帰ると、夕飯《ゆうはん》を用意《ようい》していたお母さんにみのるが聞いた。

「ねぇお母さん、なんでびんぼうってだけで、みんなに笑われるの？」

お母さんはにこにこ、仏さまのようにほほえみながら言った。

「笑われたって気にしなくていいのよ。わたしたちはお金じゃ買えないものを持っているんだから。」

「お金じゃ買えないもの？　なぁに？」

みのるはわくわくしながら聞いた。

「感謝《かんしゃ》をする心。お金じゃ買えないわ。」

「…なんだ、そんなものか。」

お母さんの言ったことが大したことじゃなかったので、みのるはがっかりした。

「あなたのお父さんが、いつもそう言っていたのよ。」

そう言うと、お母さんはみのるの頭《あたま》をやさしくなでた。

みのるは、お母さんと二人暮《ぐ》らしだ。

お父さんはみのるが小さいころに天国に行ってしまった。

お母さんがいっしょうけんめい働《はたら》いてくれているけど、それでもみのるのうちはびんぼうだった。

みのるはみんなにびんぼうをバカにされるので、びんぼうが大きらいだった。

でもお母さんはそんなみのるにいつも、「びんぼうでも、こうしてみのると暮《く》らせて幸せよ、みのるも感謝を忘《わす》れないでね。」と言っていた。

みのるは、なんでびんぼうなのにお母さんが幸せなのか、感謝を忘れちゃいけないって言うのかがわからなかった。

ある日。みのるが学校からうちへ帰っていると、見たことのないおじさんが公園《こうえん》のはしっこにすわっていて、これまた見たことない、いろいろなものを目の前に広げていた。

「…なんだ、あれ…。」

みのるがぽかんとながめていると、その見たことのないおじさんが、みのるにおいでおいでと手まねきをした。

みのるはびっくりした。もしかしたらあやしい人かもしれない、ゆうかいされるかも…！

そう思ったが、知らないはずのおじさんのその笑顔《えがお》があまりにもやさしかったので、みのるはおそるおそるおじさんの近くに行った。

みのるは、おじさんの目の前にならべられているものを見た。どうやって使《つか》うのか、なんだかよくわからないガラクタばかりだ。

「…お、おじちゃん。これ、なぁに？」

みのるはおっかなびっくり、おじさんに聞いてみた。

「これはね、神《かみ》さまの道具だよ。」

おじさんはにこにこしながら答えた。

……神さまの道具ぅ？　みのるはますますあやしさをおぼえた。

「なにか、気にいったものはあるかい。」

そう言われたけど、ほしいと思うものがなかったし、なにより絵の具を買うお金もないのに、こんなおもちゃなんか買えるわけがない。

「…おじちゃん、ぼくんちびんぼうなんだ。だから、なにも買えないよ。」

「そうかい、それじゃあこれをあげよう。」

そう言うと、おじさんはならべてあった道具の中から、みのるの手からちょっとはみだすくらいの大きさの、うさぎの顔をした入れものを手に取った。

おじさんの手の中で、まっ白なうさぎがほっぺを赤く染めてにこにこ笑っている。

口の部分を見ると、平《ひら》べったい穴《あな》が開《あ》いていた。

「おじちゃん、これ、なぁに？」

みのるが聞くと、おじさんはにこっとして答えた。

「これは〝ありがとう貯金箱〟って言うんだよ。もらったありがとうを貯金できるんだ。」

おじさんの話はますますあやしかった。ありがとうを貯金なんてできるわけないじゃないか。

「…でもぼく、もらえないよ。だってお金持ってないもん。」

みのるがそう言っても、おじさんは貯金箱をみのるにわたした。

「だいじょうぶだよ。貯金がたまったら持ってきてくれればいいから。」

貯金箱をわたされてとまどうみのるに、おじさんはかまわず貯金箱の使い方を教えてくれた。みのるはとりあえず、さいごまで聞いてみた。

「それじゃあぼうや、たくさん貯金するんだよ。」

そう言うと、おじさんは出してあった道具たちをしまってよいしょと立ち上がり、公園から去っていった。

家に帰るとさっそく、みのるは今日出会った不思議《ふしぎ》なおじさんのことをお母さんに話した。

「そう…、不思議なおじさんねぇ。本当なのかしら、ありがとう貯金箱。」

「わかんない。ねぇお母さん、これ、どうしよう?」

そう言ってみのるはうさぎの貯金箱をお母さんに見せた。

「あら…？　これ…。」

「え？　なぁに？」

貯金箱を見たお母さんの目が、一瞬《いっしゅん》大きくなった。

「あ、ううん、なんでもないの。…そうね、またそのおじさんに会えるのかもわからないし、ひとまずみのるが持っておいたら？」

お母さんにそう言われたので、みのるは貯金箱を持ち歩くことにした。

「どうせ持ってるなら、ためしに使ってみるかなぁ。」

そう思いながらその晩《ばん》、みのるは眠《ねむ》りについた。


次の日。

みのるがあの不思議なおじさんと出会った公園の前を通りかかると、こんどはひとりの女の子がいた。

みのるより少し小さい女の子だ。なにかをさがしているようで、あたりをキョロキョロと見回している。

その顔がとても悲《かな》しそうだったので、みのるは思わず女の子に声をかけた。

「ねぇ、なにかさがしているの？」

女の子は今にも泣きそうな目で、みのるを見た。

「ママにもらった赤いリボン。どっかいっちゃったの。」

よっぽどだいじにしていたのだろう。かわいそうに思ったみのるはいっしょにさがしてやることにした。

しかし、公園中さがしても、なかなかリボンは見つからない。

もうすぐあたりも暗くなる。今日はいったん帰ったほうがいいんじゃないかと思ったその時。みのるの顔が「あっ。」となった。

「ねぇ！　これじゃない⁉」

みのるは女の子の後ろのかみの毛の、おくのほうにひっかかっていたリボンを取ってあげた。

「うわぁ！」

女の子の顔が一気に明るくなる。

「お兄ちゃん、ありがとう！」

女の子が笑顔でみのるにお礼を言ったその時、みのるはあの貯金箱のことを思い出した。

「ちょっと待って！」

みのるはランドセルからありがとう貯金箱を取り出すと、女の子に差《さ》し出《だ》した。

「このうさぎの口の穴に向かって、もう一回言ってみてくれる？」

女の子は一瞬きょとんとしたけど、笑顔でうなずくと、うさぎの口に向かってもう一度《いちど》「ありがとう‼」と言った。すると、スーッという音がして、女の子の言葉《ことば》が穴の中に吸《す》い込《こ》まれたような気がした。

みのるは女の子とわかれると、うさぎの貯金箱をのぞいてみた。でも、暗くてなにも見えない。今度《こんど》はふってみた。でも、なにも音がしない。

「なぁんだ、やっぱりインチキじゃないか。」

そう言うと、みのるはまた貯金箱をランドセルにしまった。


家に帰ると、みのるはお母さんに女の子とのことと、貯金箱がインチキだったことを話した。

「そう。でも、みのるは思いやりのあることをしたわね。その子を助けてあげたんだもの。せっかくだからこれからもありがとうを貯金するつもりで、続《つづ》けてみたらどう？ありがとうって言われるのは、うれしいでしょ？」

たしかに、とみのるは思った。女の子の笑顔を見た時、みのるはなんだかとてもあたたかい気持ちになった。

感謝されるのってわるくないのかも……。

そう思い、それからみのるはお母さんの言うとおり、ありがとうを貯金するつもりでいろいろな人を助けた。

宿題《しゅくだい》のわからない友だちに勉強《べんきょう》を教えてあげたり、おばあさんの重たそうな荷物《にもつ》を持ったり、ゴミが散《ち》らかっていたら片《かた》づけたり、それはそれはいろいろなことをした。

そのたびみんなが笑顔で「ありがとう！」と言ってくれるので、みのるはそれだけで自分もうれしい気持ちになった。それが楽しくて、そうしているうちに、あの不思議なおじさんのことも、この貯金箱がもらったものだということもわすれていった。

そのまま春が過《す》ぎ夏が来て、やがて秋がおとずれたころ。

みのるが学校から家に帰ると、いつもは出迎《でむか》えてくれるお母さんのすがたがなかった。

どうしたんだろうと思い、みのるはお母さんの帰りを待っていた。

やがてみのるが待ちくたびれてうとうと眠りかけたころ、家のドアを、コンコンとノックする音が聞こえた。お母さんかな、と思って、みのるはドアを開《あ》けた。

するとそこには、知らないおじさんが立っていた。

「みのるくんかな？」

「…お、おじさん、だれ……？」

みのるはとまどいながら返事《へんじ》をした。

「みのるくん、落《お》ち着《つ》いて聞きなさい。きみのお母さんが倒《たお》れて、救急車《きゅうきゅうしゃ》で運《はこ》ばれたんだよ。今、病院《びょういん》にいるからいっしょに来てくれないかい？」

「えっ!!　お母さんが……!?」

みのるは心臓《しんぞう》がとび出そうなほどおどろいた。

すぐにおじさんといっしょに車に乗り、みのるはお母さんがいる病院へと向かった。

おじさんの話だと、おじさんはお母さんの仕事先《しごとさき》の店長さんで、お母さんはスーパーで仕事をしている最中《さいちゅう》に突然《とつぜん》倒れたのだそうだ。

病院に着いておじさんといっしょにお母さんの部屋《へや》の前まで来ると、みのるはそーっとドアを開けた。

そこには、苦しそうな顔をしたお母さんが、ベッドに横《よこ》たわっていた。

「お母さん!!」

みのるはお母さんのそばにかけよった。

「みのる…、心配かけてごめんね……。」

「お母さん……!!」

「お母さんはずっと具合がわるいのを隠《かく》して働いていたんだ。それで倒れてしまったんだよ。」

店長さんがお母さんのことを説明《せつめい》してくれた。

「そんな……、お母さん……。」

みのるは、お母さんが自分のためにそこまで無理《むり》をしていたこと、そして自分がそのことに気がつかなかったことがとてもショックだった。

「みのる……。」

みのるはお母さんが伸《の》ばした手をぎゅっとにぎると、今にも泣きそうなお母さんの顔を見てにこっと笑った。

「お母さん、ぼく、今よりびんぼうになってもぜんぜんだいじょうぶだよ! だから、もう無理しないで。」

それを聞いたお母さんは、たまらなくなって涙《なみだ》を流した。

「ごめんね、みのる……！　ごめんねぇ……！」

みのるもすごくすごく泣きそうになったけど、泣くのをガマンした。

それからみのるは、また店長さんの車に乗って、家まで送ってもらった。

「みのるくん、よく泣かなかったな。大した男の子だ。」

店長さんがみのるの頭をくしゃっとなでた。

「えらかったぞ。」

店長さんのやさしい言葉に、みのるはその時初めて、わんわん大きな声を出して泣いた。


それから数日がたった。

みのるがお母さんの病室《びょうしつ》にいると、コンコン、とドアをノックする音がした。

「どうぞ。」とお母さんが言うと、こわい顔をしたおばさんが入ってきた。アパートの大家《おおや》さんだ。お母さんは急いであいさつをした。

「吉田《よしだ》さん。こんな時にあまりこんなこと言いたくないんですけど。先月から、家賃《やちん》いただいてませんよね。今月はお支払《しはら》いいただけるんですか？」

「あ…あの、すみません、まだ体が回復《かいふく》しておらず、仕事に復帰《ふっき》できないんです。大《たい》

「来月なら半分は…。」

変申《へんもう》し訳《わけ》ないのですが、来月なら半分は…。」

「来月なら⁉　半分は⁉」

おばさんは怖《こわ》い顔をもっと鬼《おに》のようにして、さらにズカズカと入りこんできた。

「吉田さん、困《こま》りますよ。こっちだってお金を払わない方をおいておくわけにはいかないんです。今月中に先月分と合わせて家賃を払ってもらえないなら、申し訳ありませんが出て行ってもらいますからね。」

「そ…そんな……。」

「では、また来ますから。その時までに、どうするか決めておいてくださいよ。」

おばさんはそれだけ言うと、ぶっきらぼうにドアを開け、さっさと出て行ってしまった。

「お母さん…。」

「…みのる…、…もう、あのおうち、いられないかもしれない…。」

みのるはお母さんに心配《しんぱい》をかけたくなくて、笑って言った。

「だいじょうぶだよ。ぼくも働く。またおうち見つけよう。」

お母さんはまた、大粒《おおつぶ》の涙を流した。

「ごめんね……ごめんね、みのる…!!」

そう言って、お母さんはみのるに抱《だ》きついて、何度《なんど》もあやまった。

その夜。みのるは公園のブランコにすわっていた。

みのるはお母さんの「ごめんね。」を、このところ毎日のように聞いていた。お母さんがあやまるたびに、みのるはひどく胸《むね》がいたんだ。あんなにやさしくて、いつもみんなに感謝をしなさい、と教えてくれているお母さんが、どうしてこんなひどい目にあわなきゃいけないのかと、とてもくやしくなった。

みのるはブランコにゆられながら、この公園で出会った不思議なおじさんのことを思い出していた。

最近《さいきん》は、ありがとう貯金もぜんぜんやらなくなった。

みのるはランドセルから、にっこり笑ううさぎのありがとう貯金箱を取り出した。

「…なんだよ、バカみたいじゃないかこんなインチキ。ありがとうなんて……、感謝されたってぜんぜんうれしくないよ!!」

涙を流しながら、みのるはうさぎの貯金箱をめいっぱい投げつけた。

ガチャン！　と大きな音を立てて、貯金箱が割《わ》れた。

割れたうさぎの顔は、ガラスのかけらの輝《かがや》きをうけ、いっそう、笑って見えた。

次の日。みのるが病院に行くと、病院の前が人でごった返していた。

みのるが不思議に思って近づいてみると、その中にいるおばさんがみのるに気がついた。

「あ！　あの時のぼうや！」

「え？」

見るとそのおばさんは、この前みのるが道案内《あんない》をしてあげた人だった。

「あの時はありがとうね～！　おかげで展覧会《てんらんかい》に間に合ったのよ！」

「あ…うん…。」

その声を聞きつけると、ほかの人たちが一気にみのるの周《まわ》りをかこんだ。

「ぼうや！　さがしてたんだよ！」

「ちゃんとお礼が言いたくて。」

「本当に親切《しんせつ》にしてくだすって、ありがとう。」

この人たちはみんな、前にみのるが助けた人たちだった。

「みんな、なんでここに……。」

みのるがきょとんとして、たずねた。

「あんた、町で評判《ひょうばん》になってたんだよ。あんなにいい子はめずらしいって、どこの子なんだって。」

「その子が吉田さんとこのみのるくんて子だって聞いて、お礼しなきゃと思ってたらね…。」

「たいへんな目にあったって聞いて、みんなでお見舞《みま》いに行こうって話になったんだよ。」

「お母さんだいじょうぶ?」

「ひとりでえらかったねぇ。」

みのるは、みんなが心から心配してくれているのがわかって、今にも涙が出そうだった。

みんなからおかしやお礼の言葉をたくさんもらうと、みのるはお母さんの病室に向かった。

ドアを開けると、お母さんが泣いていたので、みのるはびっくりしてお母さんのそばにかけよった。

「お母さん！　どうしたの⁉　どこか痛《いた》いの⁉」

「ううん、違《ちが》うの、違うのよ。」

お母さんはにこっと笑った。

みのるは、部屋のすみに男の人がいるのに気がついた。男の人は、みのるにペコリとおじぎをした。

「……だれ？」

みのるが聞くと、男の人はみのるに、おだやかな顔を向けた。

「以前《いぜん》、みのるくんにわたしの母を助けてもらいました。道ばたで転んで立てなくなった母を、みのるくんが病院まで連《つ》れていってくれたとか。そのせつは、本当にお世話になりました。」

「あ…。」

みのるはありがとう貯金をしていた時に、道ばたで転んでケガをしてしまったおばあさんを、病院まで連れていったことを思い出した。

「近所《きんじょ》の方にみのるくんの住所を教えてもらって、あらためてお礼にうかがおうと思っていた矢先《やさき》、みのるくんのお母さんが倒れたと知りまして。わたしでよければぜひ、あなた方のお役に立たせてください。」

そう言ったおじさんは、ここらへんでいちばん大きな会社の社長さんなのだそうだ。みのるたちが家を出なくてはならないと知ったおじさんは、自分が持っているマンションの部屋を貸《か》してくれると言ったのだそうだ。

お母さんはおじさんのその言葉がうれしくて、泣いていたのだ。

「お金はいつでもよろしいので、どうぞ使ってください。みのるくん、すばらしいお母さんをお持ちだね。」

みのるはお母さんのことをほめられて、すごくうれしかった。

それからお母さんは順調《じゅんちょう》に回復して、退院《たいいん》した。

そしてあの社長さんのはからいで、みのるたちは立派《りっぱ》なマンションに住めるようになり、お母さんの新しい仕事先も紹介《しょうかい》してもらった。

みのるはもうびんぼうじゃなくなり、友だちにひやかされることもなくなった。

夕日がきれいに町を染める中、みのるは学校から家に向かって歩いていた。

公園の前を通りかかるたび、みのるはいつもあの不思議なおじさんのことを思い出していた。

…すると、みのるの目に、本当にその会いたかったおじさんのすがたが映《うつ》った。

「…あ！」

みのるはおじさんのそばにかけよった。

「おじさん！　ずっと会いたかったんだ！　…あの…ぼく、おじさんにあやまらなきゃ…、あの貯金箱……。」

みのるはうさぎの貯金箱を割ってしまったことをおじさんにあやまろうとした。するとおじさんは、シッ、と言って、人差し指をみのるの前に出した。

「あやまることなんかないよ。」

「え……？　でも……。」

とまどうみのるを見て、おじさんはくすくすと笑った。

「あの貯金箱は、おじさんが前に使っていたなんのへんてつもないただの貯金箱で、いらないからぼうやにあげたんだ。割ったからって、気にしなくていいんだよ。」

「えっ…。」

みのるは目を丸くした。みんなが自分に親切にしてくれたのは、ありがとう貯金箱が割れて、たまっていた〝ありがとう〟が使われたからだと思っていたのだ。

「…じゃあ、みんながぼくに親切にしてくれたのは……。」

おじさんはにっこりうなずいた。

「ぼうやのやったことが、返ってきただけだよ。」

そう言うと、おじさんはすっと立ち上がった。

「…元気でな、みのる。」

「…あれ……？　おじさん、なんでぼくの名前……。」

そうみのるが言いかけた時、おじさんの体が光で包まれた。

その瞬間《しゅんかん》、みのるはハッとした。

「……お父さん……？」

おじさんはにこっとほほえむと、みのるの頭をぽん、とたたいた。

「お母さんをたのんだぞ。」

そう言うと、お父さんの体は光に包まれて、天へのぼっていった。

夕日が町と、みのるの心をやさしく包む。
みのるは、もう記憶《きおく》のかたすみでほんのりとしかおぼえていない、父のすがたを思い出していた。

家に着くと、お母さんにあの不思議なおじさんに出会えたことを言った。そして、それがお父さんだったことも。

「…じゃあ、あの貯金箱は、ただのお父さんの貯金箱だったのね。」

残念そうにそう言ったのに、お母さんはなぜだか、涙をためて心からうれしそうな顔をした。

「うん。でもいいんだ。ぼくね、もっと大切なもの、自分で貯金できたから。」

「あら、なぁに？」

お母さんに聞かれると、みのるはにっこりと笑って言った。

「心の底《そこ》から、感謝する気持ち！」

おしまい

やられても、やり返さないマン

さとしのパパは今、仕事《しごと》のため、家族《かぞく》と離《はな》れてひとりで大阪《おおさか》に住んでいる。大人な言い方をすると、単身赴任《たんしんふにん》てやつだ。

さとしはパパのことが大好きで、よくパパに電話《でんわ》をかけていた。

「ねぇパパ！　今日ぼくまた、いじめっ子をやっつけたんだよ！　いがぐりってばさ、ぼくがぶつかったのにあやまらないとか言って、ぶとうとしてきたんだ。だからぼく、やってみろよ！　負けないぞ！　って言ってやったんだ。そしたらあいつ、くやしそうな顔《かお》してどっか行っちゃったよ！」

小学三年生になるさとしは、いかに自分がいがぐりをこらしめているのかパパに武《ぶ》勇伝《ゆうでん》を聞いてほしくて、電話でよくそんな話をしていた。

いがぐりとは、その名のとおりいがぐり頭《あたま》をした、体の大きいさとしのクラスメイトのことだ。いがぐりはよく、弱《よわ》い者いじめをしているらしい。

「頼《たの》もしい子に育っているなぁ。今度《こんど》会う時はまた、男らしくなっているんだろうなあ。」

パパはさとしに会うのが楽しみでしかたなかった。

日本列島《にっぽんれっとう》に夏がやってきて、熱中症《ねっちゅうしょう》にお気をつけくださいとテレビでよく耳にするようになったころ、パパは会社《かいしゃ》の夏休みで、さとしのところへ帰《かえ》れることになった。

「久《ひさ》しぶりに会えるなぁ。…さとし、この食わず嫌《ぎら》い人形、喜《よろこ》んでくれるといいんだけどなぁ。」

新幹線《しんかんせん》の中で、パパは人形を見つめながら家族《かぞく》に会える嬉《うれ》しさをかみしめていた。

パパが最寄《もよ》りの駅《えき》に着《つ》いて、キャリーケースを引きながら家へ向かっていると、公園《こうえん》でさとしのすがたを見かけた。

「おっ、さとし……。」

声をかけようとしたけれど、さとしの目の前にいる体の大きな男の子に気がついて、やめた。あいつがきっといがぐりだ。もしかして今まさに、息子《むすこ》の勇敢《ゆうかん》なすがたを見ることができるんじゃないか……！　と思ったが、どうも様子《ようす》がちがう。

「おい、さとし。宿題《しゅくだい》のノートは持ってきたんだろうな？」

「…う…、うん。」

「よーし、こっちによこせ。明日オレが先生にあてられるんだ。まちがってたらしょうちしねぇからな。」

「…えぇっ、だったら自分でやればいいじゃないか…。」

「あぁ？　口答えしてんじゃねぇよ。弱虫《よわむし》はだまってオレの言うこと聞いてりゃいいんだよ。」

そう言うと、いがぐりはガハハと笑いながら去っていった。

「…うう…また…、また戦《たたか》えなかった…！　ぼくは…、なんて弱虫なんだ…！　ちくしょう……！」

「……さとし…。」

なんてことだ。さとしは勇敢だったたんじゃなくて、勇敢になるために、いっしょうけんめいいがぐりに立ち向かおうとしていたのだ。

パパは考えた。このまま家に帰っても、さとしはウソをついてむなしくなるだけだ。どうしたものか…。…そうだ！

パパはキャリーケースの中をゴソゴソあさりだした。

「…そろそろ帰らないと、ママが心配《しんぱい》する…。それに…、パパも帰ってくる…。」

しゃがみこんでいたさとしは、涙《なみだ》がかわいたほっぺたをさわりながらつぶやいた。

今日こそは、いつもパパに言っていることを本当にしたかったのに。そう思ったら、さとしの顔《かお》がまた、くしゃっとなる。

その時、さとしの耳に、自分を呼《よ》ぶ変《へん》な声が入ってきた。

「…さとしくん、さーとーしーくん。」

「…へっ？」

さとしが顔を上げると、向こうの家の塀《へい》から、赤と白のたてじまの帽子《ぼうし》と洋服《ようふく》を身に着《つ》けたメガネの人形が、こっちをのぞいている。

「…うわっ！　な、なに…⁉」

「見とったで～、見とったで～。自分、めっちゃかっこよかったやん。」

人形は関西弁《かんさいべん》でさとしに語りかけてきた。

「ええ…⁉　なにこれ…！　だれ…⁉」

混乱《こんらん》しているさとしに、人形は冷静《れいせい》に語りかける。

「わいか？　わいは大阪の、〝やられてもやり返さないマン〟や！」

「…やられてもやり返さないマン…？」

「せや。さとしくん、あんた立派《りっぱ》やで。あんだけ言われても何も手ぇ出さへんとか、あんたは神《かみ》さまか！」

「…神さま…？　…なに言ってるの、ぼく、ぶつかってきたやつと戦えないような弱虫なんだよ。それに…、ウソつきだし…。ダメダメだよ…。」

「なに言うてまんねん。あんたのそのやられてもやり返さない精神《せいしん》が、どれだけ多くの人を救《すく》うと思うとんねや。」

「……救う？　なんで……？」

「考えてもみぃ。やられたらやり返す。それは戦いを生むんや。その戦いのせいで犠牲《ぎせい》になる人が出てくるかもしれんねんで。あんたはそれを止めたったんや。これが立派《りっぱ》じゃないちゅーたら何が立派やねん。」

「…やられたらやり返すは、戦いを生む……。」

「せやで。やられてもやり返さないのはほんまに立派なことなんや。さとしくん、あんた勇敢やねんで。もっと自分を誇《ほこ》りや。」

人形の言葉《ことば》で、さとしのもやもやしていた心は、霧《きり》が晴《は》れたようにスッキリとし、さとしの目が輝《かがや》きだした。

「ありがとう！　やられてもやり返さないマン！　ぼくこれからも、〝やられてもやり返さないマン〟になるよ！」

そう言うとさとしは、満面《まんめん》の笑顔《えがお》で人形に手をふり、かけだしていった。

それからパパが家に帰ると、さとしがダッシュで出迎《でむか》えた。

「ただいまー。」

「お帰り！　パパ！　…あのね、あのね、ぼくね……！」

「さとし、おみやげだぞ～。」

そう言ってパパはさとしに、大阪から買ってきた人形を差《さ》し出《だ》した。

「…あっ！　これ…!!　やられてもやり返さないマン…！」

パパはにっこり笑うと、さとしに言った。

「さとし、パパと男の本音の話をしようじゃないか。夜は長いぞー。とりあえず、いっしょに風呂《ふろ》でも入るか！」

「…うんっ!!」

おしまい

笑《え》顔《がお》戦《せん》士《し》、ゲラゲラン！

ここは、わいわい商店街《しょうてんがい》だ。

この商店街には、見た目はクールだが、じつは、その内《うち》に大いなる情熱《じょうねつ》をひめた男がいた。

山本笑吉《やまもとしょうきち》、六十三さい。もういい年《とし》のおじさんだ。笑吉はかさ職人《しょくにん》だ。かさがこわれたから直してほしいとやってくるお客さんから依頼《いらい》を受《う》け、かさを修理《しゅうり》するのが仕事《しごと》だ。

笑吉は、自分の店である「かさの山本」を、ひとりできりもりしていた。

笑吉はふだん、とても無口《むくち》である。無表情《むひょうじょう》である。近所《きんじょ》の人はみんな、笑吉の笑った顔《かお》を見たことがなく、笑吉は仕事以外《いがい》では近よりがたい男だった。

しかし、不思議《ふしぎ》なことがひとつあった。

「ぎゃーっはっはっはっは!!　あーっはっはっはっは!!」

夜になると、とてもにぎやかな笑い声が、なんと笑うはずのない笑吉がいる「かさの山本」から、たかだかと聞《き》こえてくることがあったのだ。近所の人はとても不思議に思っていた。

もしかして笑っているのは……。

「あの、しょうさん、あんたんとこからさ、夜…。」

そうやってお客さんが話しかけてみるのだが、笑吉がすごみのある顔でにらむので、けっきょく、真相《しんそう》が明かされることはなかった。

そして、笑い声のナゾがとけないまま、今日もわいわい商店街は朝をむかえた。

外は雨だった。

客足もとだえた商店街は、いつもより静《しず》まり返っていた。

雨音《あまおと》にまじって、だれかの泣き声が聞こえた。

泣いているのは、陽介《ようすけ》くんという男の子だ。陽介くんは今日学校で、なかよしのカズくんとケンカをしてしまったのだ。

「うっうっ…、カズくんの…カズくんのバカ！」

陽介くんがえんえん泣いていると、突然《とつぜん》、後ろからごっつい声がふってきた！

「どうした！　ぼうず！」

そして…突然、勇《いさ》ましい音楽《おんがく》が流れてきた。

「なっ、なんだぁ⁉」

陽介くんがびっくりして後ろをふり返ると、そこには！

赤いマントをはおり、黄色い全身タイツに黒いパンツ。サングラスをかけた、おでこにすっごい笑っている顔マークをつけたおじさんが、ラジカセを片手《かたて》に立っていたのだ。曲はそこから聞こえている。

「……ええ〜〜〜っ⁉」

いったいなんなんだこのおじさん！　陽介くんは心の中でそう思った。

「ぼうず！　なんで泣いてる⁉　空が流した涙《なみだ》に、ちょいとさそわれたのか⁉」

かっこも悪《わる》いが、言っていることもだいぶかっこ悪い。

そう言えば最近《さいきん》、変質者《へんしつしゃ》が目撃《もくげき》されているから気をつけてくださいと、学校のプリントに書いてあった。

もしかして、こいつか……⁉

そうだったら全力で逃《に》げたほうがいい。

陽介くんはじぃーっとおじさんを見た。そして一気にダッシュ‼　しようとしたが、おじさんに腕《うで》をつかまれた！

「ひぃっ！」

おびえる陽介くん。近づくおじさんの顔。おじさんの顔はたえず笑っている。

いよいよもってあぶない。

おじさんの腕が高々《たかだか》と振《ふ》り上げられた！

「うわぁっ！」

陽介くんが体をちぢめた。

「ぼうず！　笑え！」

「……へっ？」

陽介くんがおそるおそる顔を上げると、振り上げられたおじさんの腕は、どうどうとV《ブイ》サインをかかげていた。

「……え……？」

「ぼうず、おめぇ、わしのことを変質者だと思ったんだろう。」

「……ちがうの？」

陽介くんが聞くと、おじさんは、へっ！　と言って白い歯を見せた。

「ちげぇよぉ！　わしはな、この商店街に笑顔をもたらす！　その名も！」

「シャキーン！」とおじさんは自分で言った。

「笑顔戦士！　ゲラゲラン！」

片足《かたあし》をあげ、へんてこなポーズをとった。かっこ悪さが二倍になった。

「ゲラゲラン…？」

戦士というより、妖怪《ようかい》みたいなダサい名前だ…、と陽介くんは思った。

「そうだ。おめぇの涙を笑顔に変《か》えるために、エメラルドの星からやってきたのだ！」

陽介くんは、ありったけの力をふりしぼって、つっこみどころまんさいのおじさんを白い目で見た。

こんなかっこ悪いおじさんに、エメラルドの星なんて言われても…。

「おっ！　泣きやんだな！　やるな！」

やるなって、ぼく、なにもしてないよ…。

「よし、じゃあ次は思いっきり笑ってみるぞ！　あーっはっはっはっは！　あーーーーっはっはっは！　ほれ！」

「……あ……あはは……はは…。」

「なんでぇ！　ガキ…！　じゃない…、子どもなのに元気がないなぁ！　もっと大きな声で笑うんだ！　はっはっはっはっはーーーっ！」

書　名			
お買上 書　店	都道 府県　　　　市区 郡	書店名	書店
		ご購入日	年　　月　　日

本書をどこでお知りになりましたか?

1.書店店頭　2.知人にすすめられて　3.インターネット(サイト名　　　　)

4.DMハガキ　5.広告、記事を見て(新聞、雑誌名　　　　)

上の質問に関連して、ご購入の決め手となったのは?

1.タイトル　2.著者　3.内容　4.カバーデザイン　5.帯

その他ご自由にお書きください。

(　　　　)

本書についてのご意見、ご感想をお聞かせください。

①内容について

②カバー、タイトル、帯について

弊社Webサイトからもご意見、ご感想をお寄せいただけます。

ご協力ありがとうございました。

※お寄せいただいたご意見、ご感想は新聞広告等で匿名にて使わせていただくことがあります。

※お客様の個人情報は、小社からの連絡のみに使用します。社外に提供することは一切ありません。

郵便はがき

料金受取人払郵便

新宿局承認

1409

差出有効期間
2021年6月
30日まで
(切手不要)

1 6 0-8 7 9 1

1 4 1

東京都新宿区新宿1－10－1

(株)文芸社

愛読者カード係 行

ふりがな お名前		明治 大正 昭和 平成 年生 歳	
ふりがな ご住所	□□□-□□□□		性別 男・女
お電話 番 号	(書籍ご注文の際に必要です)	ご職業	
E-mail			

ご購読雑誌(複数可)	ご購読新聞 新聞

最近読んでおもしろかった本や今後、とりあげてほしいテーマをお教えください。

ご自分の研究成果や経験、お考え等を出版してみたいというお気持ちはありますか。

ある　　ない　　内容・テーマ(　　　　　　　　)

現在完成した作品をお持ちですか。

ある　　ない　　ジャンル・原稿量(　　　　　　　　)

けっきょくよくわからないまま、ゲラゲランという変質者のおじさんに無理《むり》やり笑わされ、陽介くんは家に帰《かえ》った。

この日から、ゲラゲランはいたるところに出現《しゅつげん》した。彼《かれ》はなぜか、雨の日にしか出現しなかった。しかも泣いている子どもの前にだけだ。泣き顔の子どもをぎこちない笑い方で無理やり笑わせては、あまり速くない足取りで去っていった。たまにラジカセを忘《わす》れて、戻《もど》ってくることもあった。きっと年のせいだろう。

商店街はいつしか、そんなゲラゲランの話題《わだい》でもちきりになっていった。しかしそんなこととは無関係《むかんけい》に、笑吉は相《あい》も変《か》わらずもくもくとかさの修理をこなしていた。

「なぁしょうさん、あんた知ってるかい。最近ちまたじゃ、ゲラゲランちゅーへんてこりんなもんが話題になってんだとよ。」

「………。」

「それも雨の日にしか出ねーっちゅーから、みょうなもんだね。なにかワケでもあんのかねぇ。」

「……かさ。」

「お、ありがとさん。…うん、さすがしょうさん！　相変わらずいい仕事するね～。これからもよろしくたのむよ。」

お客さんがそう言ったが、笑吉は「さぁな」、と息《いき》をついた。

「かさなんて今じゃ使《つか》い捨《す》ての時代《じだい》だろ。百円でも売ってらぁ。かさ職人なんざ、もう必要《ひつよう》ねぇのかもな。」

笑吉が皮肉《ひにく》たっぷりにそう言って、へっ！　と笑う。

「あっはっはっは、そうかもねぇ。でも、おまえさんはまだまだこの商店街に必要な人だよ。そんだけは忘れないどくれ。んじゃ、お代《だい》、おいとくよ！」

お客さんはそう言って、ガラガラと戸を引いて出て行った。

笑吉はまた、へっ、とつぶやいた。

それから、今日はまた別の日のわいわい商店街だ。小学校からの帰り道を、ふたりの男の子が歩いていた。

この前雨の日に泣いていた陽介くんと、その友だちのカズくんだ。どうやらふたりはすっかり仲直りしたらしい。

　ふたりは、今商店街で話題になっているゲラゲランが何者なのかという話をしていた。

「…たしかにぼくの前にも出てきたけど…。おでこに、こ〜んな笑ってるマークつけてさ。でもサングラスしてたし、へんなかっこしてたからなぁ。うーん、だれだかわからないよ。」

「それにしても、ゲラゲランて！　ダッサい名前だよな〜。このセンスのなさは笑吉さんにも負けてな……あ。そう言えばかあちゃん、笑吉さんのとこからすげー笑い声が聞こえたって言ってたな…。」

「え⁉　笑吉さん？　うそだぁ。そんなに笑ったとこ見たことないよ。」

「じゃあなんで笑い声が聞こえてくるんだよ。…なぁ、ゲラゲランはもしかしたら笑吉さんなのかもしれないぜ⁉」

「えぇー！っ？　…でもそうだとしたら、なんで笑吉さんがそんなことするのさ。」

「うーん、それはわかんないけど…。…なぁ、おい、陽介！　ちょっと！」

「え⁉　なになに？」

「あのさ…。」

　ふたりはなにやらごにょごにょ言いながら、商店街を抜《ぬ》けていった。

その日の夕方。

ガラガラと店のシャッターを下ろす笑吉のすがたがあった。

今日も、わいわい商店街の一日が終《お》わろうとしていた。

「しょーきちさーん！」

向《む》こうのほうからかけてくる影《かげ》が見えた。陽介くんだ。笑吉がふり返る。

「はぁ……、はぁ……、これ、カズくんから借《か》りたかさなんだけど…。明日返すって言ったのに、こわれちゃったんだ…。」

陽介くんが差《さ》し出《だ》したかさを、笑吉は無言《むごん》で受け取り、かさに目をやった。

「…明日、取りにこい。」

「わぁっ！　ありがとう！　笑吉さん！」

陽介くんは笑吉にお礼を言うと、店のすぐうらの路地《ろじ》を曲がった。そこにはカズくんがいた。

「カズくん、どうだった？」

「…バッチリ！」

カズくんはVサインをして見せた。

「やったぁ！」

ふたりはパン！　とハイタッチをした。

「母ちゃんの話だと、笑い声が聞こえてきたのは夜の九時ごろだって。」

「じゃあまた九時に集合《しゅうごう》だね。」

それからふたりはまた、こそこそと商店街を抜けていった。


そして、夜、九時…になるちょっと前。

ワオ〜ン、という犬のとおぼえが聞こえてきそうな真《ま》っ暗《くら》な夜だ。じっさいには聞こえないぞ。

わいわい商店街にうごめくふたつの影。その影は、「かさの山本」の前で止まった。

陽介くんと、カズくんだ。

ふたりは目で合図《あいず》をすると、「かさの山本」のうら口へ回った。

カズくんが戸を押《お》すと、ゆっくりと戸が開《あ》いた。無言でニヤリとするふたり。

カギは、さっき陽介くんが笑吉と話をしているあいだに、こっそりカズくんがはずしておいたのだ。

「静かにな…。」

「うん…。」

ふたりはそろりと、店の中へ入った。

静まり返った店の中には、薄暗《うすぐら》い中にかさがたくさん置《お》いてあった。今にもかさのお化けとか出てきそうな感《かん》じで、ちょっと不気味《ぶきみ》だ。

ひとりだったらすぐ帰ったかもなーと思いながら、ふたりは二階へ続く階段《かいだん》へと向かった。この上に、笑吉がいるはずである。

…はたしてみんなが聞いた笑い声は、聞こえてくるのだろうか…。そして、そのナゾはとけるのだろうか…！

「ぎゃーっはっはっはっは!!　あーっはっはっは!!」

あっさり聞こえてきました。

その地面までつき抜けるような笑い声にびっくりして、階段から転《ころ》げ落《お》ちそうになるふたり。

「わぁっ!!　あぶないっ！」

それでもなんとかふんばると、ふたりはホッとため息《いき》をついた。

と思ったのもつかのま、その声に気づいた笑吉に見つかってしまった。

「だれでいっ!」

ふすまの戸を開けた笑吉とバッチリ目が合ったふたり。

「げっ…!」

「お、おまえら…!」

まずい、と言わんばかりに顔を見合わせると、ふたりはゆっくり後ずさって、一気に下までかけおりた!

「逃《に》がすかってんだ、べらぼうめぃ!」

笑吉がいせいよくほえると、ふたり目がけておっかない顔で追っかけてきた!

「うわああああこここわい! 顔! 顔がーっ!」

ふたりは笑吉に腕をつかまれると、部屋に引《ひ》き込《こ》まれた。笑吉がドカッと座布団《ざぶとん》の上にすわり込む。

「さー、どうしてわしの店にしのび込んだのか、白状《はくじょう》してもらおうか。」

はじめはだんまりとしていたふたりだが、言うまで店から出さないと笑吉が言ったので、カズくんがかんねんして口をひらいた。

「…笑吉さんの家から笑い声が聞こえたって聞いて、気になってさ……。」

それを聞いて笑吉の顔色が一気に変わった。

「…んなっ⁉　バ、バカやろう！　んなもん、聞こえるもんか！」

絵《え》にかいたようなあわてぶりだ。

「…笑吉さん、ゲラゲランなんじゃないの……？」

おっかなびっくり、こんどは陽介くんが聞いた。笑吉が立ち上がった。

「ば、ばばばばかやろう！　わわ、わしがそんなけったいなもんやるわきゃねぇだろうが！」

鼻《はな》とおでこにすごい汗《あせ》だ。

「……じゃあ……。」

陽介くんが、チラリと部屋《へや》のすみに目をやる。

「あそこに、おいてある、すごいハデな服《ふく》、なに……？」

「ふぬがっ⁉」

よくわからない声を出して笑吉が止まった。そして、さびたロボットのように首をギギギ、と服のほうにふると、急いでその服におおいかぶさった。

「ばばばばばかやろう！　こ、これはその、なんだ、あれだ、ほら、やぶれたから修理してくれってんでな…！」

「笑吉さん、直すのかさだけでしょ…？」

「ふ…、服のつくろいもはじめたんでぃ！」

「じゃ、なんでかくすのさ。」

カズくんがつっこむ。

「うるせー！　ガキはもうねる時間だ！　けぇれけぇれ！」

先ほどとはうってかわって、笑吉は急いでふたりを追い出した。

「ちょっと、笑吉さん！」

カズくんが呼《よ》び止めようとしたが、ピシャリ！　と戸がいきおいよく閉《し》められた。

しかたなく、ふたりは階段をおりた。

「やっぱり笑吉さんだったねぇ！　ゲラゲラン!!」

「うん…、けどよー、なぁんかすっきりしないよなぁ～。」

「…まぁ、たしかにね。どうして笑吉さんがあんなことしてんのかわかんな……うわっ！」

「いてっ！」

陽介くんがうら口の戸を開けると、目の前に人影《ひとかげ》があり、その人影と陽介くんがぶつかった。

「おい、陽介!?」

カズくんが人影を見ると、その人影はあわてて立ち去ろうとした。あやしいヤツだ。

カズくんは自分のくつをぬぐと、逃げていく人影目がけて思いっきり投げつけた。

パコーン！

気持《きも》ちいい音があたりにひびいた。クリーンヒット！

「いってー!!」

人影がしゃがんだすきに、カズくんがかけよって腕をつかんだ。

「だれだおまえ！」

顔を見ると、見たことのない男の人だった。

「はなせ、このガキ！」

「うるせーぞ、おまえら！」

声を聞いた笑吉が、二階から顔を出そうと窓《まど》をガタガタ鳴《な》らした。

その時、いきなり、その見たことない人が、カズくんの腕をつかんでかけ出したのだ。

「う、うわっ！　おい！」

「カズくん！」

陽介くんもあわてて追いかける。

そうやって三人は、店の前からすがたを消した。

商店街のはずれにある公園《こうえん》まで来ると、やっと男の人は走るのやめた。そして、カズくんをジロリとにらんだ。

「…な、なんだよ…！」

「いいか、おまえ、おれがあそこにいたこと、だれにも言うんじゃねぇぞ。」

「…はぁ？」

「いいな。ぜったい言うなよ。もし言ったらただじゃおかないからな。」

そう言うとすぐ、男の人は背中《せなか》を向けて公園から出て行った。

カズくんがその後ろすがたを見ていると、やがて陽介くんが追いついてきた。

「…はぁ、はぁ、カズくん、だいじょうぶ⁉　……カズくん？」

陽介くんが話しかけても、カズくんはボーっとしていた。

「…なぁ、陽介。あの人もしかして…、ゲラゲランなのかなぁ。」

「…え？」

次の日。

学校から帰ったふたりは、そのまま「かさの山本」へ向かった。

店の前でかさを立てかけている笑吉がふたりに気づく。

「…おめぇら、またしょうこりもなく…！」

「ち、ちがうんだ！　ボクたち、笑吉さんにあやまりにきたんだ！」

陽介くんが言うと、ふたりは笑吉のそばへかけよった。

「あのさ、昨日オレたち、会ったんだよ。それで、オレたちがかんちがいしてたんだって気がついてさ…。」

カズくんの言葉《ことば》に、笑吉が、「はぁ？」とつぶやいた。

「だから…、ゲラゲランだよ…！　言うなって言われたんだけど、昨日、この店の前にいたんだだよ…！」

「笑吉さんの言ってたこと、本当だったんでしょ？　服の修理もしてるって。だから本物のゲラゲランが、その服取りにきてたんだよね？」

ふたりの話を、笑吉はわけがわからないといったふうで、ただだまって聞いている。

「まちがいないよ！　だってゲラゲランのおでこにあるのといっしょのマークが、あの男の人のリュックにつけてあったの見たもん！」

カズくんが力説《りきせつ》する。そのとたん、笑吉の目が一気に見開《みひら》いた。

「…だからボクたち、ゲラゲランが笑吉さんだと思って家にしのび込んだこととか、あやまろうと思って…。」

「……店、入れ。」

笑吉に言われて、ふたりはきょとんとしながら、笑吉といっしょに店の中へ入った。

「おめぇらの見たヤツってぇのは、こいつじゃねぇのか。」

笑吉はおくから一枚《まい》の写真《しゃしん》を出してきて、ふたりに見せた。

「…あっ！」

同時《どうじ》に声を出してふたりがおどろいた。今のほうが大人だけど、たしかに昨日見た男の人にまちがいはない。

「……こいつぁ、わしのせがれの、裕作《ゆうさく》だ。」

「……えぇ⁉」

おどろくふたりを前に、笑吉は長いため息をつくと、写真を見てさみしそうに話しはじめた。

「ゲラゲランはあいつじゃねえ…わしだよ……。わしとこいつは、仲が悪くてなぁ。

むかしから、いつもわしはこいつを泣かせてばかりいた。テストの点が悪けりゃ怒《おこ》る、夜帰りがおそけりゃあ怒る、かぜひきゃだらしねぇと怒る……。よろこばせることなんか、一回もしてやれなかった。……あいつの心のささえだった母親が逝《い》っちまってから、よけいにどうしていいかわからなくなっちまってなぁ……。そっから、ある日突然、あいつが家を出てったきりだ。」

笑吉の話を聞くと、ふたりはすごく悲《かな》しい気持ちになった。

「…そうだったんだ……。じゃあ、どうして昨日、このお兄ちゃん店の前にいたのかな…。」

陽介くんが不思議に思ってたずねた。

「…さぁな。」

それから笑吉は遠《とお》い目をして、こうつぶやいた。

「…笑うってぇのは、練習《れんしゅう》してできるもんでもねぇんだな…。」

笑吉の店を出て、ふたりは商店街をとぼとぼ歩いていた。

ゲラゲランが雨の日にしか現《あらわ》れないのは、笑吉が店を休みにする、お客さんがかさを使っていて修理に持ってこない日だったからなのだ。

ゲラゲランの笑顔の下に、そんな悲しい話があったとは。

ふたりがやがて昨日の公園の前に出ると、そこには、昨日の男の人がいた。

裕作さんだ。

「あ…！」

カズくんが思わずかけ出す。公園のベンチにすわってうつむいていた裕作さんが、顔を上げた。

「…おまえ、昨日の…。」

「…えっと…。」

目の前に来てみたものの、カズくんはなにを言っていいのかわからなかった。

カズくんの目をみて、なにかを感じたのだろうか。裕作さんがため息をついた。

「……聞いたのか、オヤジに。」

こくん、と、ふたりがだまってうなずいた。

「…ねぇ、お兄ちゃん、なんで昨日あそこにいたの…？」

陽介くんが思いきって聞いてみた。裕作さんはしばらくだまっていた。

「…雨の日に…。雨の日のたびに思い出すんだ。かさばっかいじってるオヤジのこと…。オヤジにはどなられた記憶《きおく》しかねぇし、あんなヤツ大きらいだったんだけどな……。」

そう言うと、裕作さんはリュックについている笑顔マークを手にとった。

「…それ…、ゲラゲランの…。」

「え…？」

裕作さんが不思議そうな顔をしたので、カズくんたちは笑吉がゲラゲランをやっていることを説明《せつめい》した。

「…そうか。」

裕作さんはもう一度マークを見つめた。

「これ、母さんがいなくなった時、オヤジが初《はじ》めてプレゼントしてくれたんだ。〝裕作、笑え！　辛《つら》い時には笑うんだ！笑う門《かど》には福《ふく》が来るんだぞ！〟って。

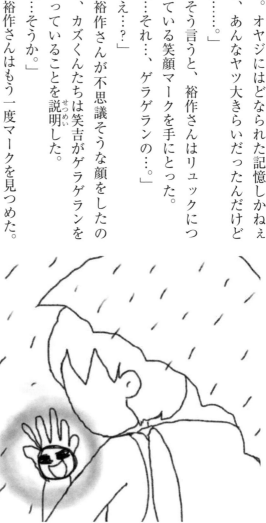

おれ、そん時、母さんがいなくなったのに笑えるかよ！　って思って、オヤジのこ
とますますきらいになったんだ。…でも今考えたら、あれは、必死《ひっし》におれを元気づけ
ようとしてくれてたんだろうなぁって。…自分だって、辛かったくせにな…。」

そう言って裕作さんは笑っていたが、なんだか、泣いているようにも見えた。

「…笑吉さん、お兄ちゃんを笑わせられなかったかわりに、ゲラゲランになったのか
な…。」

陽介くんがつぶやいた。裕作さんは、相変わらず不器用《ぶきよう》なオヤジだなぁ、とつぶや
いた。

「…ねぇお兄ちゃん！　もっかい笑吉さんのところへ行きなよ！」

カズくんが裕作さんの腕をつかんだ。

「…でも、今さらどんな顔して会えばいいのかわかんねぇし……。」

「だいじょうぶ！　オレ、いいこと思いついた！」

そう言ってカズくんが、ニヤリと笑ったのだ。

その晩《ばん》。今夜はきれいな満月《まんげつ》が、夜空をひとりじめしていた。

ここは、笑吉の店「かさの山本」の二階の、笑吉の部屋である。

そこには、たったひとりで晩酌《ばんしゃく》をする、笑吉のすがたがあった。だいぶ酒《さけ》を飲《の》んだのか、顔が真《ま》っ赤《か》である。

しかし真っ赤なのはどうやら、酒のせいだけではないようだ。

「……ひっく。なんでぇなんでぇ、…あのやろう…！」

おっきな目からなにやら光るものを流して、おっきな声でひとりごとをつぶやいている。

「…ん、もうねぇのか。次だ次だ！」

笑吉が酒びんをとろうと立ち上がった瞬間《しゅんかん》。バン！　と部屋の戸がいきおいよく開《あ》いた。

そこに立っていたのは……。

「笑顔戦士、ゲラゲランジュニア！　シャキーン！　ぼうず！　笑え、このやろう！」

一瞬《いっしゅん》のできごとに、ぽかんとする笑吉。そして、

「…わしはぼうずじゃねぇ！」

「いや、そこかよ！」

ジュニアが現れたことよりぼうずではないことにつっこんだ後、笑吉は無言で、またすわった。

「……なに泣いてんだよ、いい年して。」

「……おまえこそ、なんちゅーへんてこりんなかっこしてんだ。」

「……オヤジに言われたくねぇよ。」

そして、ふたたび沈黙《ちんもく》した後、またジュニアが言った。

「…あのチビたちの言ったとおりだった。」

「…あぁ？」

「オヤジが泣いてるから、笑わせに行ってこいって言われたんだ。」

ジュニアの言葉に、笑吉はしばらくだまったままだった。

「…ったくあのガキども、よけいなことしやがって…。」

笑吉の言葉に、ジュニアが不思議そうに首をかしげる。

「…あいつらがうちに来て、おめぇがあいつらに言ったこと、全部聞かされたんだよ…。おめぇよぉ…、そんなこと聞いちまったら…、鼻水《はなみず》のひとつやふたつ、出ちまうだろうが！」

そう言って笑吉はうつむき、手のひらで鼻じゃなくて、目をぬぐった。

「……晩酌、つき合ってやるよ、オヤジ……。」

ジュニア、裕作さんの言葉に、へっ！　と笑吉が笑った。

「そのめでてぇ服ぬいできたら…、酒、ついでやらぁ…。」
部屋の外で聞き耳を立てていた陽介くんとカズくんは、笑吉の言葉を聞いて、にっこりほほえんだのだった。

おしまい

サキの木

アイモの里の民はみな、生まれると誰《だれ》もが自分の「木」を持つ。その木にきれいな花を咲《さ》かせるのが、里に生まれた者の仕事《しごと》だ。春には春の、夏には夏の、秋には秋の、そして、冬には冬の四季《しき》折々《おりおり》の立派《りっぱ》な花を咲かせ、それを都《みやこ》へ売りにいって暮《く》らしている。

里の中に、サキという、今年十六になる娘《むすめ》がいた。サキはたったひとりで暮らしていた。サキの親はふたりとも、すでにこの世から旅立っていた。

親を失ったサキの木には、どうしたことかしだいに花が咲かなくなってしまった。サキは、自分の木にどうして花が咲かなくなったのかわからなかった。

「このままでは、オラは里のやっかいもんだ。どうにかして、花を咲かせなければ。」

サキはそう決意《けつい》すると、里の者に、どうして自分の木に花が咲かないのかを聞《き》いてまわった。

けれど、誰ひとりとしてそのわけを知る者はいなかった。

そこでサキは、里の外にそびえ立つ「黒吹き山《くろぶきやま》」の山姥《やまんば》のところへ行こうと考えた。山姥は百をとうに超《こ》えた老婆《ろうば》で、それくらい長生きの者ならば、花が咲かない理由を知っているかもしれないと考えたのだ。

「なに？　黒吹き山へ行くだ？　やめとけやめとけ！　あそこはてっぺんに行くまでの道がえらいもんだ。おめぇの足でなんぞ行けたもんでねぇ。」

「それに、山姥は人間を喰《く》らうって話だ。おまえなんぞ一呑《ひとの》みにされっちまうぞ！」

「花なんか咲かなくったって、里のみんなであんたの面倒《めんどう》さ見るから、気にすることたねぇ。」

里の者はそう言ってサキを止めようとしたが、サキの決意は変《か》わらなかった。

「オラ、おっかあもおっとうもいなくなって、そのうえ里のみんなと同じように花を咲かせられねぇで、このまま生きていくなんて耐《た》えらんねぇ。オラ、行くだ。」

そう言うと、みなが止めるのも聞かずにサキはアイモの里を後にした。

黒吹き山はいつもてっぺんが黒い雲に覆《おお》われていて、その先を見ることができなかった。

サキは心を決めると、黒吹き山へと足を一歩踏《ふ》み入れた。

里の者の言うとおり、黒吹き山の斜面《しゃめん》は険《けわ》しく、大きな砂利《じゃり》や葉《は》のない木がそこかしこから飛び出しており、一筋縄《ひとすじなわ》では登ることができない。

一日目の晩《ばん》を大きな連《つら》なった岩の陰《かげ》で過《す》ごし、サキは再《ふたた》び山のてっぺんを目指して登り始めた。

二日目、斜面は更《さら》に険《けわ》しさを増《ま》した。てっぺんに近づくにつれ、突風《とっぷう》が多くなる。やはり里の者の言うとおり、頂上《ちょうじょう》まで登ることは不可能《ふかのう》なのだろうか。サキの心は一時《いっとき》、頂上から離《はな》れた。

サキは下を振《ふ》り返った。もう、地上は見えない。

「…知らない間に、ずいぶんと登ったんだなぁ…。ここまで来たら、最後《さいご》まで登ってしまったほうがええ。…おっとう、おっかあ、どうかオラのこと見守っててくれ。さあ、行くぞ。」

サキはくたくたになった体に言い聞かせると、また、一歩一歩山を登った。

二日目の晩は枯葉《かれは》を集めて、木の下で眠《ねむ》った。

さて、三日目の朝を迎《むか》えた。サキはもう、一歩を踏《ふ》み出すのもやっとなくらい疲《つか》れ果てていた。てっぺんに近づけば近づくほど、風が激《はげ》しく吹《ふ》き荒《あ》れた。

…このまま、山姥に会えないまま死んでしまうかもしれない……。

サキの心に、そんな想《おも》いが浮《う》かんだ。そしていよいよ、サキは足を一歩も踏み出すことができなくなって、その場にパタリと倒《たお》れてしまった。

…おっかあ、おっとう、オラもそっちに行きてぇ…。毎日、会いたくてしかたねぇだ。

このまま、そっちに行ってもええだろうか……。

父と母を想い、サキの意識《いしき》はしだいに遠のいていった。

「……ほう、久々《ひさびさ》に人間の臭《にお》いがすると思うたら、女子《おなご》か。」

その声は人のそれにしては随分《ずいぶん》と低《ひく》く、ゆっくりと静《しず》かにこだました。

気を失ったサキの前に現れた山姥は、百をとうに超《こ》えたとは思えぬほど背筋《せすじ》がしゃんとしていた。白い着物《きもの》に身を包んでおり、長く綺麗《きれい》な白髪《しろかみ》を靡《なび》かせ、そばに白い犬を連《つ》れていた。

山姥がスッと右手を犬の上に出すと、白い犬はそれに応《こた》えるかのように、気を失って冷たくなったサキをひょいと拾い上げ、自分の背中《せなか》に乗せた。

突風が吹き荒れる中、サキを連れた山姥と白い犬はその場をゆっくりと後にし、やがて姿《すがた》を消した。


最初《さいしょ》に飛《と》び込《こ》んできたのは、見慣《みな》れぬ天井《てんじょう》だった。

山姥に拾われ、しばらく眠り込んでいたサキは、今やっと目を覚《さ》ましたところであった。

「……ここは……どこだ……。オラはいったい……。」

ゆっくりと寝床《ねどこ》から起き上がったサキのすぐそばに、真っ白い綺麗な犬が静かに座《すわ》っている。

「……おまえは……、綺麗な犬だなあ。おまえがオラを助けてくれたのか……?」

サキが白い犬を優《やさ》しく撫《な》でていると、戸が開《あ》いた。

「目が覚めたか。」

「…おまえさまは、山姥だな…。」

その老婆が山姥だと、サキには一目でわかった。

「オラ、もう会えないかと思った。」

「おまえは、アイモの里の民だな。」

「オラのこと、わかるのか？」

「においでわかる。おまえみたいな小娘《こむすめ》が命を賭《と》してここまで来ようとは、まさかオレに喰われに来たわけでもあるまい。」

「おまえさまは、人を喰らうのか？」

「ふ、そう言う者もおる。」

「オラ、死ぬのは怖《こわ》くねぇ。里で、オラの木だけ花が咲かなくなった。おまえさまに会えば、どうしてオラの木だけ花が咲かないのかわかると思ってここへ来た。このままだとオラは里の厄介者《やっかいもん》だ。…誰にも必要《ひつよう》とされねぇ。このまま花を咲かすことができねぇならいっそのこと、おっとうとおっかあのところに行ってしまいてぇ。」

サキは涙《なみだ》ながらに自分の心の内を、山姥に訴《うった》えた。両親《りょうしん》が死んで、ずっとひとりぼっちで寂《さび》しくて悲《かな》しくて、辛《つら》い毎日を送っていたことを。

山姥はサキの話をただ黙《だま》ってじっと聞いていた。サキがすべて話し終《お》えると、山姥はゆっくりと口を開いた。

「たしかにオレは、おまえの木に花が咲かないわけを知っているが、それを教えたところでオレになんの得《とく》がある。オレは善人《ぜんにん》でもなんでもねぇから、おまえが勝手に死んでもなんとも思わねぇ。」

「じゃあ、なんでオラをここへ連れてきたんだ？」

「喰ろうてやるためだ、みなが噂《うわさ》するとおりにな。その前にうんと役に立ってもらう。ここから東にずっと行くと、泉がある。その水を、かめいっぱいに汲《く》んでこい。」

山姥はそう言うと、部屋の隅《すみ》に置《お》いてある大きなかめを指差《ゆびさ》した。

「〝白夜《びゃくや》〟を供《とも》に連れていけ。賢《かしこ》い犬だ、おまえの思うとおりに動く。」


山姥にそう言いつけられたサキは、白夜という名の白い犬を連れ、東にある泉へと向かった。黒吹き山のてっぺんは下から見るのと違《ちが》って黒い雲が晴れており、固《かた》い大地に太陽がさんさんと照《て》りつけていた。

「黒吹き山のてっぺんがこんなに明るいとは知らなかった。来ないとわかんねぇもんだな。」

白夜を連れたサキは、照りつける太陽を浴《あ》びながらそのままずっと東へと歩いていった。

しばらくすると、山姥の言った泉が見えてきた。

「…やっと見えた…、あれだな。」

サキは泉の前に来ると、白夜の背からかめを下ろした。

「ありがとう白夜。おまえは本当に、綺麗で賢い犬だな。」

サキは白夜を優しく撫でると、かめいっぱいに水を入れ、再び白夜の背中にくくりつけ、元来た道を戻《もど》った。

山姥の家に向け歩いていたサキは、しばらくして、「あっ」と声を上げた。

「…かめん中に水が入ってねぇ。」

さきほど確《たし》かにかめの中に入れたはずの水が、綺麗さっぱりなくなっていたのだ。

「…こぼれたわけでもなさそうだし……、おかしいな…。もう一度汲んでくるか。」

そう言ってサキは白夜と共に、また泉に水を汲みに戻った。

そしてさきほどのようにかめに水をたっぷり入れると、また来た道を戻って進んだ。

しばらく進むと、またしてもかめの中の水はいつの間にか空《から》になっている。

「あれぇ、今度《こんど》も空になってる。おかしいな。これじゃあ水を持って帰《かえ》れねぇだ。困ったな、どうしよう。」

サキは再び白夜を連れて泉に向かった。

泉に戻ったサキは、はぁ、と小さくため息《いき》をついた。

「…どうせまた汲んでも空になっちまうんだろうなぁ……。」

サキは泉の前に屈《かが》むと、泉の中をのぞき込んだ。なにも変わったところもない、普《ふ》通《つう》の泉だ。透《す》き通ったその水は、サキの姿をそっくりそのまま映《うつ》していた。この時サキは、えらく久《ひさ》しぶりに自分の姿を見た。

「……オラ、こんなにも痩《や》せていたんだな……。」

両親を失ってから悲しみのどん底にいたサキは、みるみるうちに痩せ衰《おとろ》えていった。紅色《べにいろ》だった頬《ほお》も今ではすっかりこけてしまい、見る影《かげ》もない。

サキは泉の中にいる自分を、しばらく眺《なが》めていた。

泉に映るサキは、悲しそうにじっとこちらを見つめているように見えた。

その瞳《ひとみ》が潤《うる》むわけは、両親を失った悲しみのそれではないように思えた。

ただ、「自分を見つめてほしい」と、切に願《ねが》っているかのようであった。

そうして、ただじっと自分を見つめていたサキの頬に、伝うものがあった。

「…ごめんな…。」

サキは自分でもわからずに、どうしてかそんな言《こと》葉《ば》を零《こぼ》した。

「……ごめんな……、……ごめんな……。」

自分でも気づかぬうちに想いが込み上げてきて、サキは泉に映った自分に、ひたすらあやまった。サキの隣《となり》でただじっと佇《たたず》んでいた白夜が、サキにやさしく語りかけるように、舌《した》でサキの涙をそっと拭《ぬぐ》った。白夜の温《ぬく》もりに、サキは久しぶりに満《み》たされた気持ちになった。サキは白夜の肩《かた》にゆっくりと体を預《あず》けると、溢《あふ》れ出る涙を覆うように、静かに目を閉《と》じた。

それから間もなくして、サキと白夜は、山姥の家に戻った。山姥は自分の吐息《といき》で、黒吹き山にかかる黒い雲を作っているところだった。サキと白夜に気づくと、山姥は顔を上げた。

「帰ったか。さあ、水をこっちに寄《よ》こせ。」

山姥にそう言われたサキは、申《もう》し訳《わけ》なさそうに頭を下げた。

「山姥さん、すまねぇ。泉の水は汲んでこれなかった。オラが何度汲んでも、なぜだかかめが空っぽになっちまうんだ。」

サキがそう言ったが、山姥は薄笑《うすわら》いを浮かべると、かめを指して言った。

「なにを言うとる。水ならかめに、たんと入っているではないか。さあ、早う寄こせ。」

山姥にそう言われ、サキは「えっ」と言ってかめを見た。するとそこには山姥の言うとおりに、キラキラと輝《かがや》く水が、溢れんばかりに入っていたのだ。

「…どう言うことだ……。オラ…。」

「サキ。」

戸惑《とまど》うサキの名を山姥が呼《よ》んだ。

「おまえの木には、もう花が咲く。」

「……えっ、どうしてだ?」

「花が咲くのも、かめに水が満ちるのも、同じ道理《どうり》だ。おまえはやっと自分を見ることができた。愛《あい》を欲《ほっ》している自分に気づくことができた。おまえの木に花を咲かせることができるのは、おまえ自身の〝愛〟だけだ。」

「オラ自身の……愛……。」

「そうだ。自分に目を向けずに、過去《かこ》やまわりのことばかり気にするようになると、とたんに花は咲かなくなってしまう。親が注いでくれた愛が途絶《とだ》えてしまったなら、今度は自分で愛を注がなければならん。草木や自然《しぜん》のものは、そうして育つ。失ったものより、今あるものに目を向けよ。今を生きよ。おまえはさっき、泉に映った自分の声が、聞こえたのだろう。」

ゆっくりと話す山姥を目の前に、サキの目には、大粒《おおつぶ》の涙が溢れていた。

「……オラ、随分《ずいぶん》とオラにかわいそうなことをしていたんだなぁ……。すまなかったなぁ……。ここに来なければ気づかなかった。これからはオラ、鏡《かがみ》見るたび思い出すだ。ちゃんと……、オラの声聞くだ。」

サキを見つめていた山姥の顔が、少し和《やわ》らいだかのように見えた。

「白夜におまえを里まで送らせよう。ここに来たことは他言《たごん》してはならん。もし話せば、おまえと里の民の記憶《きおく》はみな消える。」

山姥に言われると、サキは深《ふか》くうなずいた。

「山姥さん、本当にありがとう。」

サキは山姥にお礼を告げると、白夜の背中に跨《またが》った。

突風吹きつける中、白夜は颯爽《さっそう》と黒吹き山を下った。

温かい白夜の背中に抱《だ》きつきながら、サキは、黒吹き山の、白い優しい山姥のことを一生忘れずに、誰にも言うまいと誓《ちか》った。

やがて里に近づくと、今まで見たこともないくらいの美しい花を咲かせた木が、サキの目の中に飛び込んできた。

おしまい

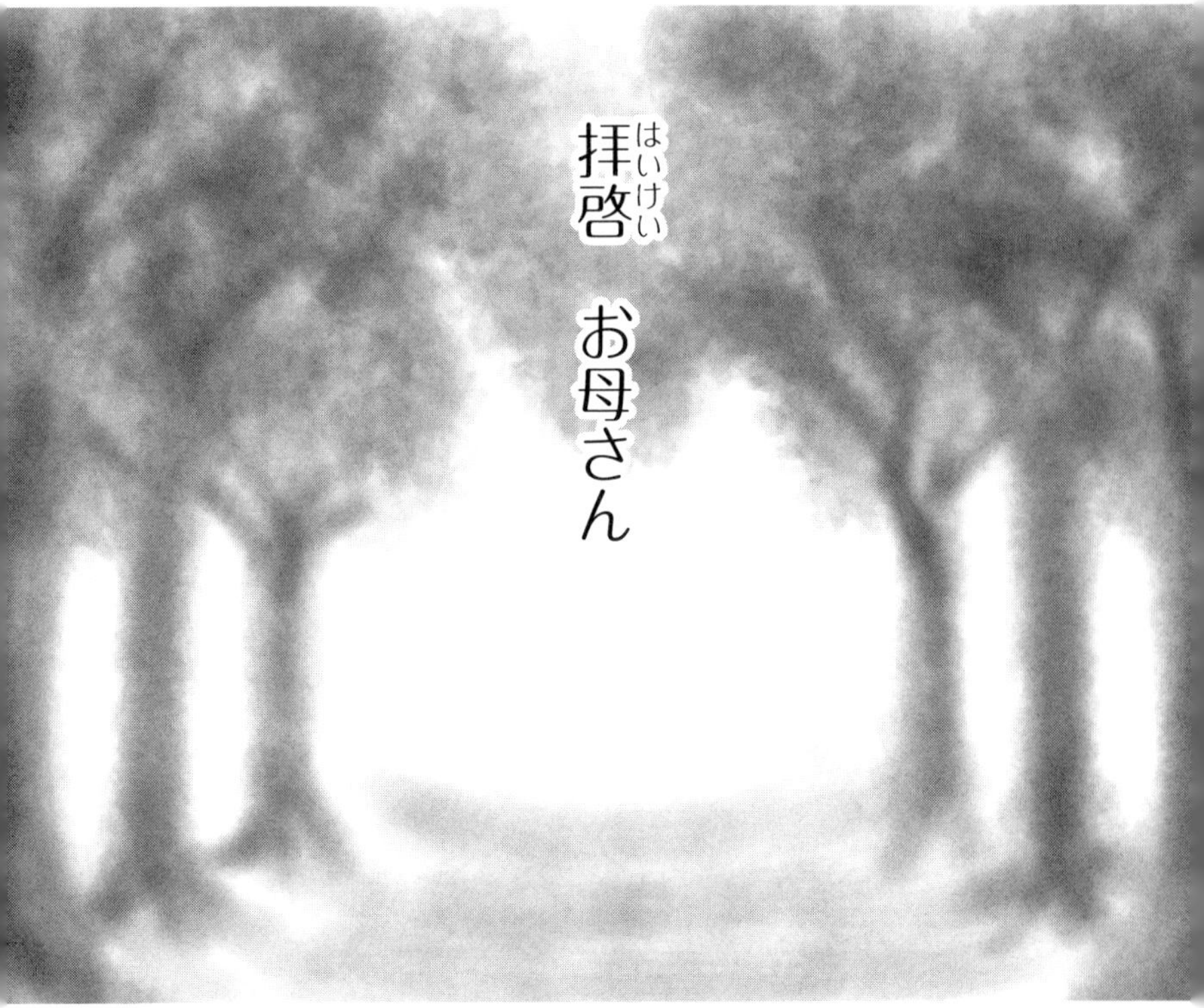
拝啓《はいけい》　お母さん

拝啓　お母さん

死んでしまった物言わぬあなたに聞きたいことはたくさんあるけれど、その中でも、どうしても、聞《き》いてみたいことがあります。

〝愛《あい》〟って、どう言うものを言うのでしょうか。

信じることですか？　裏切《うらぎ》らないことですか？　見返りを求めないことでしょうか。

自分を愛《あい》しなさい、と、よく聞きますが、わたしはいまいちわかりません。

それに…。

たったひとりの人と、一生一緒《いっしょ》にいたい、と思う感情《かんじょう》を、わたしはまだ味わったことがありません。

お母さんがお父さんと結婚《けっこん》する時に、一体どんな気持ちだったのか、聞いてみたいのです。

ねぇ、お母さん。〝愛《あい》〟って、何ですか？

＊　＊　＊

今年も早いもので、季節《きせつ》は秋から冬に変《か》わろうとしています。

また、わたしの誕生日《たんじょうび》と、お母さんの命日《めいにち》がやってきますね。まさか「わたしの誕生日」に旅立ってしまうなんて、いちばんびっくりしているのは、お母さんかもしれません。

今年は受験生《じゅけんせい》で、高校に行くための準備《じゅんび》に追われています。

学校へ行く途中《とちゅう》の、いつもお母さんと通っていた並木道《なみきみち》に着《つ》くと、お母さんのことを思い出して、こうして天国へ語りかけるのです。

「吉野《よしの》！」

ふいに、後ろからわたしを呼《よ》ぶ声が聞こえます。声の主は、クラスメイトの川田《かわた》くんです。彼《かれ》とは卒業《そつぎょう》アルバムの実行委員になってから、少しずつ話すようになりました。彼も、この道を通っていたのです。

「おはよ。」

「おはよう。」

「今日も寒いなぁ。」

「うん、息《いき》がもう白いよ。」

この並木道での時間は、お母さんとわたしだけの特別《とくべつ》のものだったのに、そこに彼が加わりました。

だけど、不思議《ふしぎ》。少しも嫌《いや》だとは思わなくて。

「…もうすぐ卒業だなぁ。」

「うん、そうだね。」

「アルバム、間に合わせなきゃな。」

「…うん。」

困りました。わたしは会話が得意《とくい》ではないので、彼と喋《しゃべ》るのは決して嫌ではないのに、言葉が出てきません。

それでも、川田くんは毎日わたしに話しかけてくれます。川田くんは、嫌じゃないのかな…。


ある時、川田くんが言いました。

「〝吉野〟ってさ、きれいな名前だよな。」

「…え？　そう？　…初《はじ》めて言われた…。」

「マジで？　俺《おれ》なんか〝川田〟じゃん。すごい平凡《へいぼん》なんだよな～。だから吉野みたいな名前って、憧《あこが》れる。」

「…そう言えばお母さん、前に言ってた。〝山本《やまもと》〟って平凡だから、吉野に変わって嬉《うれ》しかったって…。」

「へぇ、お母さん旧姓《きゅうせい》、山本っていうんだ。ははっ、確《たし》かに山本も平凡だよな。」

「…うん。……あのね…わたし、ずっとお母さんに聞いてみたいことがあったの。」

「え？　なに？」

「…お父さんと結婚した時、どんな気持ちだったのか……。」

「ああ、そう言うのってちょっと、聞きづらいよなぁ。」

「…うん、それもあるけど…。…お母さん、死んだの。二年前。」

「……え…。」

「三月十七日。お母さんの命日で、わたしの誕生日。」

「……え……!?　……そ、そうなの……か……!?　…ご、ごめん…。」

「ううん、いいの。」

お母さん、わたしはずるい人間かもしれません。お母さんのことを川田くんに聞いてほしかったというよりは、こんな話をすれば、川田くんはわたしと話をするのが嫌になって、川田くんに嫌《きら》われたくないなぁとか、話が下手《へた》でごめんねとか、もうそんなことを思わなくてもよくなるんじゃないかって、そう思ったんです。

わたしは相変わらず、臆病《おくびょう》で、弱《よわ》い人間です。

「…どんな気持ちだったんだろうな。」

「…え？」

「結婚、する時って…。みんな、どんな気持ちなんだろうな。」

「…うん、そうだね、どんな気持ちなんだろうね。」

「まだ先の話だから、実感湧《じっかんわ》かないけど…。」

「…うん…。」

「…聞いてみたいよな。俺さぁ、母さんに聞いてみよっかな…。」

「え？」

「…いや、やっぱ恥《は》ずかしいから聞かないかも…。…ははっ！」

そう言って、川田くんは顔を赤くしながら、はや歩きになりました。

…川田くんは、わたしと話をするの、嫌にならなかったみたいでした。

冬が、本格的《ほんかくてき》に街にやってきました。しんしんと降《ふ》る雪は、もう葉っぱのない街路《がいろ》樹《じゅ》の枝《えだ》を、少しずつ白く染《そ》めていきます。わたしはすっかり、川田くんと朝、この並木道を通って学校へ行くのが日課《にっか》になりました。

「吉野の高校の試験《しけん》、来週だよな？」

「うん、そう。…最近ね、緊張《きんちょう》してよく眠《ねむ》れないんだぁ。」

「え？　吉野も緊張すんの？　あんなに成績《せいせき》いいのに。」

「す、するよぉ、緊張しぃだよ、すぐ顔赤くなるし。」

「あ、それはわかるかも。よく赤くなってるよな。」

「…あは、バレてた。」

話が苦手だったはずなのに、いつの間にかそんなことはすっかり忘《わす》れて川田くんとの会話を楽しんでいるわたしがいます。

「…あのね、川田くん。」

「ん？　なに？」

「…わたし、お母さんにもうひとつ、どうしても聞きたいことがあったの。」

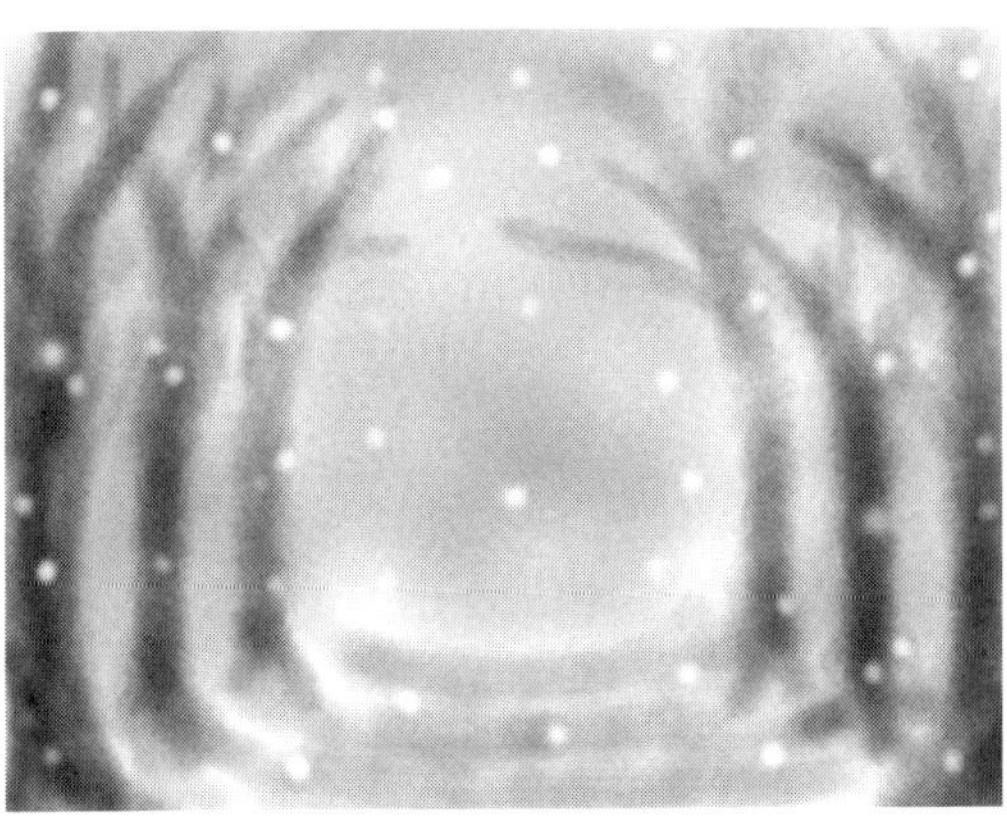

「…うん、なに？」

「…それは…。」

わたしはくちびるを、きゅっと結びました。

「…それはね、試験に合格《ごうかく》したら、聞いてもらってもいいかなぁ…？」

「えーっ！　気になるなぁ、今じゃないのかよ～。」

「…うん、だって、そのほうが、〝ぜったい、試験に合格するんだ〟って気持ちになれるんだもん。」

「…そっか。……じゃあ、しょうがないな。」

「…うん、ありがと。」

「ぜったい受かれよな！　じゃないと気になって俺が落ちるかもしれない…。」

「…え⁉」

「ははっ、じょーだん。俺はもう推薦《すいせん》で決まってるからさ。吉野の応援《おうえん》に徹《てっ》するよ。だから、合格、よろしく！」

「……うんっ！」

高校生になると、川田くんとは離《はな》れ離《ばな》れになります。…だけど、川田くんの通う高校、わたしが受ける高校と同じ駅にあるんだってわかったので、ちょっと嬉しいのです。…何はともあれ、何としてでも合格しなくては。

川田くんとこの道を通るようになって、三カ月が経《た》ちました。最近のわたしは、ちょっとセンチメンタルです。だって、高校が離れたら、川田くんとこうして喋《しゃべ》ることもないのかなって…。

川田くんは、どう思っているのでしょうか。聞きたくても聞けない、やっぱり臆病なわたしです。

「明日、いよいよだなー！　まだ緊張してる？」

「…うん、少し…。」

「…吉野…、なんかさ、最近元気ないよな？　…なんかあった？」

「…え？　ううん！　試験で緊張してるだけだよ…！」

「…そうか。…ま、何かあったら言えよな！　俺にできることがあれば協力するからさ！」

「……あ、ありがとう……。」

川田くんと喋れば喋るほど、川田くんのことを知れば知るほど、わたしの憂鬱《ゆううつ》な気持ちは大きくなっていくようです。……でも、今はそれどころじゃないよね。試験、がんばるよ。

お母さん、試験、合格しました。これでわたしも、晴れて、春からは高校生です。

…よかった。ここ、本当に行きたかったとこなんだ。だって、お母さんの母校だもんね。お母さんの担任《たんにん》だった先生、今は教頭先生になってるって聞きました。お母さんのこと、たくさん聞けるといいなぁ。

「おーい！　吉野ー！」

息を切らして、川田くんがわたしの元に走ってきます。

「合格、おめでとっ‼」

「……えーっ！　もう知ってるの⁉」

「おう、浅野《あさの》先生、合格した生徒の名前言いふらしてんだもん。」

「…うっそ。先生サイテー！　自分で言いたかったのに…。」

わたしがむくれると、川田くんが笑いました。…彼と話すようになって、わたしは色々なことがわかりました。

…そう、例えば、こんな些細《ささい》なやり取りでも、とても心がほわんと温かくなることも。

「ってことで、約束！」

「……え？」

「ほら、お母さんにどうしても聞きたかったことがあるって言ってたじゃん！　いまさらごまかすのは、なしだからな？」

「……あっ、う、うん、もちろん……！」

「よしっ……！　…では、どうぞ？」

「……う、うん……。……あの、笑わないでね？　……あのね……、わたし……。〝愛《あい》〟ってなんだかよくわからなくて……。」

「……あい……？」

「……うん……。……だからお母さんに……〝愛《あい》〟ってなに？　って……、聞いてみたかったの……。」

「……〝愛《あい》〟か……。」

川田くんはわたしの言葉を復唱《ふくしょう》すると、腕組《うでぐ》みをして真剣《しんけん》な顔をしました。

「……むずかしいなぁ……。」

「……でしょ？」

わたしの質問《しつもん》を笑うこともなく、バカにすることもなく、川田くんは真剣に受け止めてくれました。

「何度聞いても、お母さん、答えてくれないんだぁ。夢《ゆめ》の中とかさ、出てきてくれてもいいのに、全然なの。写真の中のお母さんは、何も言わないで、ただ笑ってるだけなんだよ。…もしかしてお母さん、答えたくないのかな……。」

少し、しゅんとしてしまいました。この道でだって、何度も聞いたよね。お母さん…。

「……吉野、それさ……。」

考え込《こ》んでいた川田くんが、わたしを見ました。

「答えたくないんじゃなくて、もしかしたらお母さん、吉野に自分でわかってほしいんじゃないのかな？　…全然的外《まとはず》れなこと言うかもしれないけど、俺、すげぇガキのころ、父さんにさ、〝どうして弟を叩《たた》いたらダメなの？〟って聞いたことがあったんだよね。…今となっては恥ずかしい話だけどさ。…そしたら父さん、言ったんだ。〝自分で考えろ〟って…。」

わたしから目線を外すと、川田くんは続けます。

「だから俺、自分で考えてみたんだ。そのころからかな、すぐ答えを教えてもらうんじゃなくて、自分で考えるようになったの。」

「…そうなんだ…。」

わたしは川田くんから目を離すと、空を見上げました。

「…そうかもしれない…。お母さん、わたしに気づいてほしいのかも……。」

「……あのさ。俺、吉野と違《ちが》って身近な人の死と向き合ったことがないから、それがいったいどんななのかって、いくら考えてもやっぱわかんないんだよね。…だからそれって、わかる時ってちゃんと来るのかなって。…今はわかんなくても。…なんて、エラそうに聞こえたらごめん。」

「ううん、その通りだよ。…川田くんて、すごいね。」

「…え？　そ、そんなことないよ。」

「そんなこと、ある。…わたし、わかる時がくるまで、愛《あい》について考えてみようかな。」

「…吉野のそう言う素直《すなお》なとこ、いいよね。」

「…え？　そ、そう？　そんなこと…。」

「そんなこと、ある。」

わたしたちは顔を見合わせて、思わず笑いました。……ああ、お母さん、やっぱりわたしは、川田くんと離れたくありません……。

「……あ、あの、……わたし……！」

「吉野。」

川田くんが真剣な顔をして、わたしの言葉を遮《さえぎ》りました。……前代未聞《ぜんだいみもん》です。こんなに、ドキドキするのは……。

「……あの、……その……、お、俺もさ……、〝愛《あい》〟について、考えてみたいなって思って……。……だから、よかったら……吉野が嫌じゃなかったら……、これからも、この並木道を一緒に歩きたいなって……、思ってるんだけど……！」

川田くんの真《ま》っ赤《か》な顔につられてなのか、わたしの顔もみるみる赤くなっていきます。

嬉しかった……。だって、川田くんのその言葉は……、わたしの気持ちそのものをあらわしていたから……。

「……川田くん、あの……。」

お母さん、わたしは川田くんになんて返事をしたと思いますか？

きっと、お母さんの目には、はにかみながら、でも、めちゃくちゃ嬉しそうに、「……はいっ！」って返事を

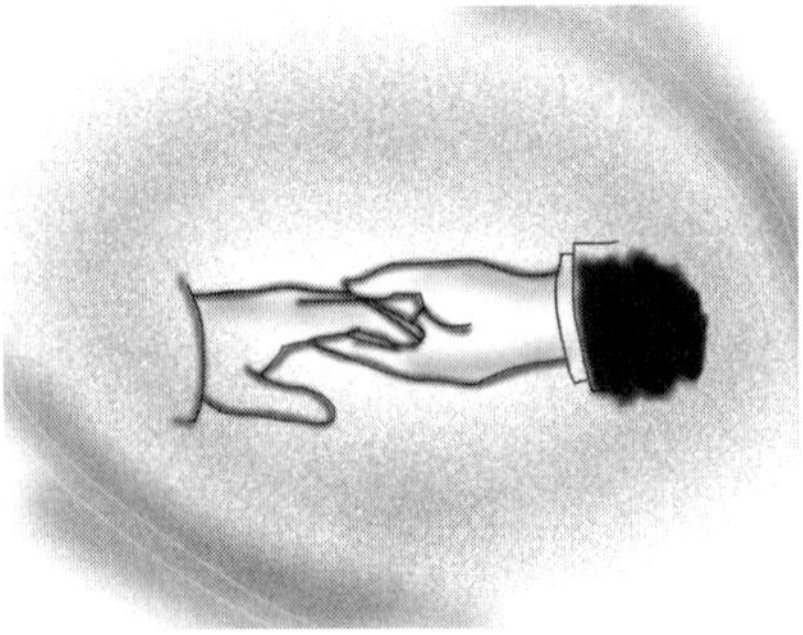

している、わたしの姿が映《うつ》ったのではないでしょうか。

…それでね、その中にね。「お誕生日おめでとう。」ってはにかむ、川田くんの笑顔も入れてあげてね、お母さん。

おしまい

あとがき

改《あらた》めまして、『ほんとうは泣きたかった大山くん』をお読《よ》みいただき、ありがとうございます。

私《わたし》は今まで身近《みぢか》な人を亡《な》くすといった経験《けいけん》がなかったので、「拝啓《はいけい》、お母さん」の中で川田くんが言っているように、その出来事《できごと》に直面《ちょくめん》した時、自分がいったいどんな気持《きも》ちを持つのか、どんなことを考《かんが》えるのか…、本当にわかりませんでした。作品を書くことで、その世界《せかい》に触《ふ》れたかったのかもしれません。

ですがこの本をつくっている時、私の祖母《そぼ》（おばあちゃん）が亡くなりました。驚《おどろ》くことに、おばあちゃんが天国に行った日は、吉野《よしの》のお母さんの命日《めいにち》と同じ、三月十七日だったのです（「拝啓、お母さん」はその二、三年前くらいに書いた作品です）。この偶然《ぐうぜん》にはびっくりです。おばあちゃんの「死」というものをとおして、今まで感じたことのある感情《かんじょう》以外《いがい》にはじめて生まれた気持ちもあって、私たちはそうやって、幸せなことも嫌《いや》なことも体験していくのだなと思ったのでした。

子どもの頃《ころ》、自分の中に生まれた本当の気持ちがあっても、それを出すと、その言《こと》葉《ば》を言うと怒《おこ》られる、嫌《きら》われる、受け入れてもらえない…。そう思って、なかなかその本音《ほんね》をみとめることができないでいる自分がいました。

まさに大山くんと同じ状態《じょうたい》でした。そして大人になっても、ずっとその気持ちを心の深《ふか》いところで引きずっていたのだと思います。

この作品たちは、もちろんみんなに読んでほしかったのですが、いちばん最初《さいしょ》に届けたかったのは、私自身だったのかもしれません。

大切なのは、周《まわ》りの目を気にして自分の本当の気持ちを押《お》し殺《ころ》すことでも、伝えないことでもない。

自分の中にある、どんなに見たくない本音でも受け止めて、その音色《ねいろ》のすべてを楽《たの》しんでいいんだ、それが人生なんだということが、歳《とし》を重ねてようやく少しわかった気がします。

これから皆さんは、この本を閉《と》じたらまた、それぞれの人生へ戻《もど》っていくのでしょう。

その時ほんのちょっとでも、この作品の人物《じんぶつ》たちのことを思い出して、日常《にちじょう》から飛《と》び出《だ》してみたり、勇気《ゆうき》を出して本音をみとめたり、伝えてみたり、自分を愛《あい》したり、愛について考えてみたり、思いっきり感謝《かんしゃ》したりしてくれると嬉《うれ》しいです。

あなたの中の小さなキミをキャッチしたら、こんどは、まだ会ったことのない〝あなた〟との出会いが、待っています！

山田貴子

著者プロフィール

山田 貴子（やまだ たかこ）

1982年６月30日に東京で出生後、新潟と大阪で育つ。

24歳の時に声優を志して上京、専門学校や養成所で学ぶ。舞台出演、子供たちへの読み聞かせを経て、声優の仕事だけではなく、自身で作品を生み出し、演じることに喜びを持つようになる。作品を通して人と触れ合い、幸せを分かち合えることを願って新たに表現し続ける。

ほんとうは泣きたかった大山くん

2020年６月30日　初版第１刷発行

著　者　山田 貴子
発行者　瓜谷 綱延
発行所　株式会社文芸社
〒160-0022　東京都新宿区新宿１－10－１
電話　03-5369-3060（代表）
03-5369-2299（販売）

印刷所　株式会社フクイン

ISBN978-4-286-21615-7